그녀와 나

정원
https://brunch.co.kr/@envywolf
무질서하고, 초라하고, 유익하지 않은 글을 쓰고 싶습니다.
교정/교열/윤문은 Chat GPT 4o의 도움을 받았습니다

발 행 | 2024-05-07
저 자 | 정원
펴낸이 | 한건희
펴낸곳 | 주식회사 부크크
출판사등록 | 2014.07.15(제2014-16호)
주 소 | 서울 금천구 가산디지털1로 119, A동 305호
전 화 | 1670 - 8316
이메일 | info@bookk.co.kr

ISBN | 979-11-410-8394-6
본 책은 브런치 POD 출판물입니다.
https://brunch.co.kr

www.bookk.co.kr

그녀와 나

정원 지음

CONTENT

첫 해의 편지

2021년

아가, 네가 태어나던 날은 눈이 정말 많이 내려서 창밖을 보면 눈이 시릴 정도였단다. 네 이름을 짓기 위해 눈이 펑펑 오는 날에도 할머니가 이름을 지으러 다녀오셨다는 이야기에 얼마나 감사했던지.

원래 너희 아빠와 살던 곳은 우리 둘이 살기에는 적당했지만, 아기와 함께 살기에는 좋은 장소가 아니어서 날이 슬며시 더워질 무렵 할머니와 할아버지께서 계시는 집으로 이사를 왔단다. 우리도 너가 처음이라 순탄한 일들만 있었던 건 아니었지만, 이사 오고 나서는 행복한 순간이 더 많았단다. 그렇다고 이사 오기 전 집이 나빴던 건 아니었어. 주변 환경이 별로 좋지 않아서 그랬을 뿐이지, 네가 새벽에 고장 나서 흐리게 깜박거리는 주방의 동그란 전구, 현관 입구 정리함 위의 인터폰, 손소독제 등을 보며 이유 없이 까르륵 웃었던 것은 참 좋았던 기억이야.

언젠가 네가 이 글을 읽을 때도 우리는 그 집에 살고 있을까? 궁금하구나. 너는 그 당시 참으로 누워서 잠을 자지 않는 아기였단다. 서서 집안을 빙글빙글 돌거나, 집 구조가 특이한 넓은 베란다에 서서 창밖을 멍하니 쳐다보곤 했지. 그렇게 해야 잠이 들었다. 그런데 정말 다행스럽게도, 걸어서 1분도 안 되는 곳에 왜가리들이 자주 오는 공원이 있었단다. 네가 하도 안 자서 너를 안고 그 공원을 한 바퀴 돌면, 너는 아기띠 안에서 신기한 듯 두리번거리다가 고개를 푹 숙이고 잠이 들었단다. 그러면 나는 네 말랑하고 보드라운 볼살을 꾹꾹

찔러보며 집으로 돌아와서 너를 배 위에 올려두고 소파에서 같이 잠들었단다.

그리고 네가 잠에서 깨면, 그 특이하고 따뜻한 베란다에 욕조를 가져다 놓고 따뜻한 물을 받아서 너와 물장난을 했단다. 그러면 또 분유를 먹은 너는 노곤해져서 고모가 사 준 짤랑거리는 소리가 나는 알록달록한 애벌레 인형을 안고 바스락거리며 잠이 들곤 했지.

여름에는 아빠가 일찍 퇴근해서 돌아오면 둘이 한참 장난을 치다가, 너를 재우려고 한여름에 아빠 손을 잡고 그 공원을 지나 더 큰 천변 공원을 거닐곤 했단다. 붉은 플라밍고 치마 같기도 하고 하얀 팝콘 같기도 한 배롱나무 꽃망울들이 아름답게 매달려 있는 모습을 구경하고, 풀벌레 소리가 사나울 정도로 들리는 여름 특유의 습한 공기가 참 좋았단다. 가을이 될 무렵에는 네가 앉기도 하고 잡고 서 있기도 하게 되었는데, 소형 복어와 열대 미꾸라지가 들어있는 작은 어항을 멍하니 쳐다보곤 했지.

추석에는, 네게 고운 색깔만 입히고 싶어서 살구빛 한복을 입혔단다. 품이 조금 커서 걱정했는데, 다음 해에 꼭 맞는 것을 보고 웃었더랬다. 겨울에는 내가 베란다에서 빨래를 널고 있으면 네가 슬그머니 눈치를 보면서 입구에 둔 발걸레를 몰래 집어서 훔쳐 가곤 했단다. 안 된다고 말려도 또 반복하곤 했지. 네 조그맣고 하얀 손이 슬쩍 나오고 얼굴이 왔다 갔다 하는 모습이 너무 귀여웠어. 네가 처음 맞이하던 초겨울엔 딸기 값이 정말 금값이라 할 만큼 비쌌는데, 발

그래한 양 볼이 빵빵해질 정도로 딸기를 가득 입에 넣고 오물오물 먹는 게 너무 예뻐서 할머니 할아버지가 딸기를 끊이지 않게 사다 주셨단다.

고모도 너를 너무 예뻐해서 주변 사람들도 다 알 정도였단다. 너를 어여뻐해주시는 분들이 너무 많아 엄마는 네가 부러울 정도였어. 첫눈이 쌓인 날, 할머니 집 옥상에 가서 아빠랑 엄마랑 눈 오리를 만들 때 네가 눈을 밟아 보게 했는데, 그때는 느낌이 이상한지 울기만 했단다. 네가 내가 아끼는 보드라운 담요로 자주 까꿍을 해주고, 노래를 들으면 흥겨워서 춤을 출 때쯤 한 해가 끝났단다.

"

그것이 네가 태어난 첫해였어.

두 번째해의 편지

2022년

두 번째 해구나. 너는 이제 기고, 앉고, 잡고 서는 게 가능해졌었지. 영유아 검진을 갔을 때 의사 선생님은 이제 분유를 뗄 준비를 하고, 우유를 먹이며 어른들이 먹는 음식을 먹게 될 테니 조금 더 마음 편히 지내도 된다고 하셨단다. 그런데 네가 돌아다니기 시작하니 정신이 하나도 없었지 뭐니.

너는 유모차를 정말 안 탔단다. 그래서 중고 거래로 자전거를 가져왔는데, 다행히 그건 좀 타더구나. 나는 신이 나서 산책할 때 너를 자전거에 태워서 돌아다녔지. 그 외에는 다른 아이들이 하는 걸 너도 다 했어. 집에 있는 버튼은 다 눌러보고, 특히 에어프라이어 전원을 왜 그렇게 좋아했는지! 잠시 청소하거나 빨래를 돌리는 사이에 '우웅-' 하는 소리가 들리면 나는 이게 무슨 소리인가 하고 헐레벌떡 너에게 뛰어가곤 했지. 그러면 너는 배시시 웃으며 에어프라이어 앞에서 깔깔거리며 박수를 치고 있었어.

올해 첫 여행은 대전이었단다. 다른 사람들은 해외로 나가기도 한다는데, 할아버지 환갑 때 출산 여행으로 유명한 관광지를 갔을 때, 아기들이 얼마나 우는지 보고 귀가 많이 아프겠구나 싶어서 우리는 절대 데리고 가지 말자고 했었거든. 적어도 네가 해외가 국내의 바깥임을 인지할 수 있을 때 데려가고 싶었어. 그래서 한 살 때까지는 멀리 거의 안 갔어. 드디어 대전까지 가본 거야.

너는 참으로 효녀였다. 이 편지를 읽는 순간은 어떨지 모르겠다. 효녀라는 단어는 자식들에게 참 부담을 주는 단어 아니겠니? 하지만 2022년에 2살이었던 너는 참 효녀였어. 왜냐하면 정말 밥을 잘 먹었거든! 이 편지를 나도 다시 읽어 보며 반성하는 날이 오기를 바란다.

"

네가 밥만 잘 먹어도 기뻐하던 나를 돌아보기를.

그리고 나는 네가 흥이 정말 많다는 걸 알았다. 노래가 나오면 엉덩이를 흔들고 춤을 추곤 했지. 나는 내적으로는 흥이 많았지만 겉으로는 잘 드러내지 않았는데, 네가 아버지를 닮았구나 하고 생각했단다. 아버지는 춤을 참 잘 추시거든. 리듬게임도 잘하시고. 지금쯤이면 알고 있으려나? 그럴 수도 있겠구나.

날씨가 슬슬 풀릴 무렵, 비가 오고 네가 잘 걷기 시작해서 너와 산책이 가능해지고 나서 알았다. 너는 비 오는 날을 정말 좋아했어. 이모가 사준 우비를 입고 나와 놀이터에 가서 한참을 놀았단다. 머리끝의 방울 같은 동그라미가 꼭 요정 같아서 귀여웠어. 개나리가 피었던 공원에는 진달래가 피고, 아장아장 걷던 너는 이제 달려 나가고, 모든 것이 순식간에 지나갔단다. 나는 제자리에 있는데 너는 자라고, 나는 네가 사랑스러우면서도 네가 슬슬 '부정'을 배우는 게 힘들었어. 너는 '싫어, 아니, 아냐' 같은 거절을 배우고 있었지.

네가 주는 끝도 없는 행복을 받으면서도, 나는 지치고 병들어갔어. 너 때문은 아니었단다. 그냥 내가 태어날 때부터 그랬다는구나. 네가 다 커서 내가 이 모든 것을 잘 설명해주었기를 바란다.

우리가 살던 집 근처 그 아름다운 공원을 기억하니? 아직도 남아있기를 바란다. 500년 넘은 은행나무가 버티고 있는 그 공원에서는 매년 여름이면 분수대에서 놀 수 있게 운영을 했단다. 나는 이제 무엇을 해도 싫증을 내고 짜증을 내는 너를 어떻게 해야 할지 모르고 방구석에서 우울해하고 울기만 했는데, 그 분수대에 너를 데려갔을 때, 네가 너무 기뻐하지 뭐니. 네가 어떻게 생각할지 모르지만, 나는 너무 행복해서 그날 그냥 죽고 싶었단다. 오늘 죽으면 정말 행복할 것 같다는 생각을 했어. 그 뒤로도 행복한 순간마다 그런 충동들이 찾아와서, 나는 이상함을 느꼈단다. 가을에는 할머니 환갑을 맞아 우리는 제주도를 다녀왔어. 너는 기특하게 비행기도 견뎠고, 장거리를 차를 탔는데 멀미를 하면서도 참아냈단다.

나는 너와 아직 좀 더 둘만 함께 있어도 되었지만, 뇌가 아픈 걸 늦게 발견했단다. 시간제 보육이라는 사업이 있어서 너를 어린이집에 들어가기 전에 적응 시키기로 했다. 다행히 너는 정말로 좋아했어. 매일매일 갈 수 있는 시스템이 아니라 한두 시간씩 가다 보니 키즈카페를 가는 느낌이었나 봐. 내가 정말 겁이 많아서 너를 데리고 키즈카페도 한 번도 안 가봤었거든. 얼마나 신이 났을까 싶다.

"

그렇게 너의 두 살은 정신없이 흘러갔다.

세 번째해의 편지

2023

너의 세 번째 해구나. 사진도 영상도 남기겠지만, 내가 너를 바라본 시선이 글자로 담겨서 너에게 전해졌을 때 훗날 네가 힘든 삶에 도움이 되기를 바란다. 작년에는 집에만 오롯이 있어서 편지를 연말에 느긋하게 썼는데, 올해에는 조금 바쁠 걸로 예상되어 미리 남긴다.

올해 내가 병증이 심해졌단다. 의사 선생님은 내 분노가 너에게 향하는 순간 너와 나를 분리하겠다고 하셨다. 나는 공포스러운 마음에 분노를 다스리는 방법을 선생님께 배웠다. 사실 아직도 배워 나가고 있다. 혹시 네가 커서 나를 이해 못 할 때를 대비하여, 나는 나의 변명거리를 먼저 글자로 엮어두었다. 더 잘 엮으면 좋겠지만 어미는 배운 게 없어 그것이 한계란다. 네가 두 살 때 나온 엉망진창 같은 글자들은 조금 더 잘 수정해 두도록 할게. 책을 쓰다 보니 작년에도 너에게 편지를 썼지만, 1년에 한 장씩 쓰다 보면 네 역사책이 만들어질 수 있겠다 싶었다.

언젠가 네가 글을 배우고, 내가 쓴 편지들을 묶으면 너의 인생 또한 한 권의 책이 될 것이다. 나는 나와 너를 위해 더 배우고 기록하고 노력하려 한다.

네가 드디어 사회생활을 시작했다! 시간제 보육이라는 어린이집 적응 훈련을 거치고, 어린이집에 들어갔단다. 그러니까, 사회화 훈련이 시작된 거야! 나는 그렇게 생각했단다. 올 초에는 고모가 사다 준 분홍색, 하늘색 거품을 무서워하다가 드디어 무서워하지 않게 되었어. 내가 작년에 쓴 글과 요즘 쓴 글을 비교해 보니, 내 상태가 심해졌다는 걸 나 자신이 느낀단다. 예전에는 회사에 보고서도 곧잘 써서 올렸는데, 이제는 글에 두서가 없어졌어. 나는 네가 커서 멀쩡할지 자신이 점점 없어지기 시작했다.

작년의 너는 베란다에서 멀뚱히 내가 하는 걸 지켜보았지만, 올해의 너는 이제 베란다의 이 어미가 사랑하는 화분들에 물도 주고, 빨래를 널 때 한 장씩 집어다 주곤 했지. 네가 훗날 이 글을 읽으면 어찌 생각할지 모르겠지만, 드디어 사람을 키우는 느낌이 들었다.

“

물론 그전에도 사랑했고, 올해도 사랑했음은 틀림없다.

그런데 올해부터는 네가 말도 시작했고, 우리의 행동을 따라 하기 시작했단다. 인간은 하나부터 열까지 모방으로 시작하는 인생이구나. 너는 나에게 인생을 알려주고 있었어. 나의 선생님이란다! 네가 나의 부끄러운 점을 따라 하면 나는 그 행동을 고쳤다. 그러면 너 또한 고쳤지. 이 얼마나 아름다운 일이니?

여름부터 너는 떼가 늘었단다. 작년엔 신발을 던지던 네가 이제는 드러눕기 시작했지. 나는 다시 네가 던진 신발을 주워서 신겨주고, 안아서 달래 주곤 했는데, 그것이 화가 되어 어린이집에서 네 생활이 곤란해지기도 했어. 한마디로 '오냐오냐' 키웠던 게지. 부끄러웠단다. 원장 선생님과 할머니, 할아버지, 아빠와 엄마는 너의 선택권을 줄였어. 원래 하나부터 열까지, 심지어 등원할 때 양말 색깔까지 네가 고를 수 있게 했는데, 네가 말을 제대로 할 때까지는 우리가 조금 더 명령어로 해야 할 필요를 느꼈단다. 그래서 너의 어린이집 생활이 정상 궤도로 올라왔단다. 상세한 이야기를 말로 전해줄 수 있기를 바란다.

너를 어린이집에 맡기고 아빠가 조금 더 자유롭기를 바라며 아르바이트를 시작했단다. 번 돈으로 너에게 커다란 토끼 인형을 여러 마리 사주기도 해서 이불 위에 가득 있는 토끼들 사이에서 너를 보며 행복해했단다. 아직도 남아있니? 너는 아빠 토끼를 가장 좋아했단다. 아주 꼬질꼬질하고 더러워져서 노숙자 냄새가 나서 다른 토끼와 바꿔치기해서 세탁하고 싶어도 몸에서 떼어놓지를 않아서 곤욕이었지.

너는 올해 한글을 참 싫어했단다. 친구가 보내준 '투명 행성'이라는 책을 제일 좋아해서, 자기 전에 목이 쉴 정도로 한 시간 넘게 읽어주었단다.

1. 그녀는 영어를 좋아해

나는 문맹이다

나는 "문맹"이라는 책을 읽고 울었다. 네가 내가 영어를 못하는 걸 알고 울면서 아빠의 퇴근을 기다렸기 때문이었지. 우리 부부는 노력해 보았지만, 네가 한글에 흥미를 붙이는 데에는 아직까지 실패했다. 억지로 시키면 역효과가 날 것 같아서 내 최대의 고민거리였단다.

나는 12월에 임자에게 결혼기념일 선물로 일본 여행을 해주었듯, 임자는 나에게 영어학원 등록을 해주기로 하였다. 가끔 간단한 것을 돌아가기도 한다. '남이 맞춰주기를 바라는 것', '남'에 자식이 포함되기도 한다는 걸 책을 읽고 깨닫는다. 읽기를 멈출 수가 없는 이유다.

그녀는 여전히 한글에 관심이 없었다. 다행스러운 건 어느 정도 말을 따라 하려고는 한다는 점이다. 본인도 답답하니까. 이래저래 알아봤더니 동화책을 스캔하면 읽어주는 태블릿이 있어서 체험 신청을 했다. 어제 도착했고, 성공이었다. 그러나 더 웃긴 것은 그녀가 내가 영어를 못하는 걸 알고 나에게 영어를 알려주기 시작했다는 점이다(...). 나는 어제부터 2살짜리 선생님께 영어를 배우기 시작했다. 붙잡혀서 영어 동화책을 몇 권을 읽었는지 모르겠다.

"

선생님, 진도를 살살 나가면 안 될까요?

내가 글을 쓰려고 키보드를 꺼내자 네가 "아니야!"라며 계속 내게 팔을 쫙 펼치며 따라 하라는 듯 알려주었다.

"I - am - a - sea - star."

나는 어제 저 말을 몇 번이나 했는지 모르겠다. 씨스타가 싫어졌다. 기술이 발달한 시대에 태어나서 다행이라는 생각을 했다.

2. 그녀는 도박을 좋아해

나는 잠깐만 나가고 싶은데

지난주는 내가 자유로운 주말을 보내고 충전을 했다. 이번 주는 임자가 충전하는 날이었다. 남편의 친구 중에는 '전 남친'이라 부를 정도로 햄버거와 콜라 같은 친구가 있다. 둘이 데이트를 하게 보내 드리고, 나는 오늘 저녁 좋아하는 가게에서 샐러드를 먹을 예정이다. 가까운데도 배달을 시킬 때마다 마음이 쓰리다.

그녀와 함께 포장을 하러 가도 상관은 없다. 하지만 나가는 순간, 그녀는 마치 '네가 원하는 걸 얻으러 나왔으니 나도 보상을 얻어야겠다.'라는 식으로 돌아다니기 시작한다. 그녀는 도파민 중독(농담)이다. 문구점 앞에서 "돈! 주데요!" 하고 양손을 내밀어 오백 원짜리를 받아서는 동전을 차곡차곡 조그맣고 야무진 손으로 머신에 넣어서 드그르륵 돌리면 세상에서 가장 쓰잘데기 없는 것들이 들어있는 캡슐이 데구루루 굴러 떨어지는 그 뽑기에 중독되었다. 어른도 가챠에 중독되는데, 만 2세가 중독이 안될 수가 없지.

이해한다. 이해'는' 한다. 말리고 싶지만, 말릴 수 없다. 그녀가 저 뽑기를 하고 나서 얼마나 행복해하는지 알기 때문이다. 다만 횟수를 줄여주는 게 최선이다. 오늘도 다녀오겠지. 주머니에 항상 들어있는 500원이 잘그락거리면 우습다.

“

너는 뽑기 중독이고 나는 그런 너를 보는 중독.

4. 그녀는 눕는다

나는 네가 그만 누웠으면 좋겠는데

그녀는 원할 때마다 바닥에 드러눕곤 했다. 예전에는 무려 30분이나 누워있기도 했었다. 어느 날, 지나가던 어르신이 그런 그녀와 내가 주저앉아 우는 모습을 보고는, 그 모습이 딱했는지 함께 주저앉아 나를 위로해 주었다.

❝

예끼! 이 더러운 바닥에! 엄마 고생시키고!

그날 이후로 그녀는 점점 짧은 시간만 바닥에 누워 있게 되었다. 비록 여전히 원하는 것을 얻지 못하면 바닥에 드러눕긴 했지만, 이제는 내가 그 모습을 지켜보는 것도 한결 수월해졌다. 지나가는 사람들의 따뜻한 시선과 위로가 큰 힘이 되었던 것 같다.

히메라는 친구가 있다. 그는 종종 오지랖이 나쁜 것만은 아니라는 주장을 하곤 했다. 생각해보니, 그런 상황에서 그가 말한 '좋은 오지랖'이 무엇인지 이해하게 되었다.

아이가 혼나는데도, 나는 이상하게도 기분이 좋았다. 가족들은 아가를 아끼느라 바빠서 나를 챙겨주지 않았지만, 모르는 사람이 나를 위해 아가에게 화를 내주다니. 이상할 수도 있지만, 나는 그 상황이 좋았다.

덕분에 아가의 눕는 버릇이 많이 좋아졌다. 그것이 결론이다.

오늘 그녀가 원했던 것은 방앗간, 즉 무인 편의점에 있는 본드 재질의 칼라 풍선이었다. 당연히 안 된다고 생각했다. 그녀를 일단 일으켜 세우고 설득하려 했지만, 그녀는 온몸을 버티며 바닥에 드러누웠다. 팔이 빠질까 두려워 나는 그녀를 번쩍 들어 올려 벤치에 눕혔다.

"저건 어른한테도 좋지 않아. 엄마도 하지 않을 거야."

울음을 그친 그녀에게 다른 것을 사주고, 집으로 데려왔다. 오늘도 우당탕탕한 하루를 마무리했다.

5. 그녀에게 알려줄 것

내가 할 수 있는 게 뭘까?

어제는 참으로 바쁜 하루였다. 가끔 찾아오는 짜증과 우울이 나를 찾아왔지만, 저녁까지 이어진 업무 덕분에 아무런 생각도 들지 않아 무사히 하루를 버텨낼 수 있었다. 그러던 중, 문득 '내가 어른이 되어 지금은 당연하게 해내는 일들'을 할 때면 그녀의 생각이 떠오르곤 했다. 고지서를 납부하거나, 사과를 깎거나, 어른에게 가위나 칼을 건넬 때 날의 방향을 자연스럽게 내 쪽으로 향하게 하는 것들 말이다.

문득 이런 생각이 들었다.

부모가 자녀에게 기본적으로 가르쳐야 할 것은 존중, 책임감, 인내, 소통 능력, 도덕적 가치 등이다. 자기 관리와 협력의 중요성을 가르치고, 이를 위해 열심히 공부해야 한다는 것도 맞다. 하지만 다른 한편으로는, 내가 그녀에게 알려줄 것들이란 결국 내가 없어도 그녀가 스스로 살아가는 데 불편함이 없도록 하는 것들이다. 예를 들어 혼자서 단추를 잠글 수 있게 하고, 모자를 쓸 수 있게 하며, 더 커서는 고지서를 납부하는 방법, 과일을 깎는 방법, 혼자서도 씩씩하게 밥을 차려먹는 방법을 가르치는 것이다. 가끔 혼자서 밥을 차려먹는 친구들을 보며 기특하다고 생각했는데, 그들도 이렇게 배웠겠구나 싶었다. 어제는 그런 생각을 하며 보냈다. 부모로서 내가 할 수 있는 일, 그리고 그녀와 함께 할 수 있는 일들에 대해.

6. 그녀의 자장가

나는 오늘 밤

임자가 있으면 둘은 나란히 누워 NBA 경기를 보다가 잠이 들곤 한다. 어제는 야근을 하셨고, 오늘은 회식 때문에 늦으시는 날이다.

아빠가 늦는 날 그녀의 자장가는 언제나 '오늘 밤'이다. 그래서 오늘 밤도 '오늘 밤'을 들으며 그녀가 잠들었다. 그녀도 다행히 '오늘 밤'을 좋아한다. 오늘 밤도 그러했다. 노래가 끝나갈 무렵이면, 그녀는 "또오-" 하고 다시 틀어달라고 조르곤 한다.

결국 한 곡을 반복 재생으로 걸어놓고 슬쩍 따라 부르는데, 음치인 나에게 그녀는 참 매정하다. 작은 손으로 내 입을 틀어막으며, 노래를 방해하지 말라는 듯이. 그러고는 자라며 다른 손으로 내 어깨를 토닥거린다.

오늘 밤도 '오늘 밤'을 들으며 그녀가 먼저 잠에 들었다. 꼬질꼬질한 아빠 토끼와 함께. 자장자장.

7. 그녀는 낯가림이 심하다

나도 미용실에 데려가고 싶다

그녀는 낯가림이 무척 심하다. 미용실에 데리고 가면, 정말 귀가 아플 정도로 소리를 지르고 마치 바닥에 불이라도 난 것처럼 내 몸에 바싹 붙어 떨어지질 않는다. 나는 그 과정이 그녀에게 스트레스를 주는 것 같아서 늘 싫었다. 그래서 그녀의 앞머리가 길어지면 내가 집에서 그냥 잘라주곤 했다. 두 번 중 한 번은 망쳐버리곤 했지만, 그것도 일종의 도전이었다. 오늘도 그날 중 하나였다.

가위를 들고 그녀의 앞머리에 갖다 대자, 차가운 감촉이 싫은지 그녀는 조금 불안해했다. 나는 화장실의 아크릴 거울을 보여주며 "이거 봐, 이거 봐" 하며 앞머리를 싹둑싹둑 잘라 나갔다. 머리카락이 '투둑' 떨어지는 소리에 그녀는 재미있다는 듯 까르륵 웃었다. 그녀가 앞머리를 자르는 동안 인상을 찌푸리고 있다는 것을 내가 미처 인지하지 못했다. 그 찌푸린 이마만큼 잘라버린 결과, 그녀의 머리는 쥐가 파먹은 듯 엉망이 되어버렸다.

"

아구! 세상에 아가 머리가 이게 뭐야!

어머니는 그녀의 머리를 볼 때마다 계속 웃으시곤 했다. 귀엽다고 생각하신 것 같다. 하지만 결국 미용실에 데리고 가기로 결심했다. 내가 이럴 때는 미안해. 손재주가 있었으면 좋았을 텐데, 생각하며.

그 후 어머니는 계속 "아냐, 볼수록 예뻐! 괜찮아!"라고 말씀하셨지만, 그 말이 진심이 아니라는 것을 나는 느낄 수 있었다.

8. 그녀가 감기에 걸렸다

나도 물론 걸렸다

새벽 내내 그녀는 기침을 해댔다. 날이 밝으면 병원에 데려가서 약을 지어 먹여야겠다고 결심했다. 대신 아파주고 싶은 마음이 간절해서인지 내 목 또한 간질간질했다. 그녀는 가래가 끓는 소리와 함께 기침을 하다가 온몸을 비틀며 짜증을 내더니, "엄마-!" 하고 나를 불렀다. 나는 바로 옆에서 기다리고 있었기에.

새벽 내내 기침을 하던 그녀는 결국 "엄마-!" 하고 불렀다. 바로 옆에 기다리고 있던 나는 안아줄까? 물었다. 그녀는 데굴데굴 굴러서 내 품으로 쏙 들어왔다. 귀엽고 가여운 아이를 보며, 나는 머리를 쓰다듬어 넘기고 이마에 입을 맞추고 엉덩이를 토닥여주었다. 다시 겨우 잠든 그녀는 내 쪽 장판이 더웠는지 데구르르 굴러서 자기 자리로 돌아갔다. 겨울이면 그냥 앓고 지나가야지. 독감 주사를 맞히길 잘했다.

"인간적으로 콩순이 색칠놀이랑 마이쮸도 사주고, 엠엔엠도 사주고, 바나나 우유도 두 개나 사줬는데, 약 먹자는 약속은 지켜야 하는 거 아닙니까?"

작은 푸념을 하며 생각했다. 항상 식구 세 명이 함께 아프지만, 나는 아플 수 없다. 내가 아픈 순간 집안이 어질러지기 시작한다. 임자는 서툴게나마 집안을 정리해주고 아이를 봐주지만, 그의 노력에도 불구하고 집안일은 쌓여만 간다. 설거지, 빨래, 머리카락, 과자 부스러기, 어린이집 준비물 등.

아파도 환기는 시켜야 하고, 청소기도 돌려야 하며, 설거지도 해야 한다. 빨래는 조금 나중에 하면 어때. 응. 나도 알바를 하지만, 하루 종일 밖에서 일하는 신랑이 짠해서 집안일을 되도록 시키기 싫다. 맨날 내가 천사같이 굴진 않지만 이 마음은 진심이다.

그리고 그는 빨래를 돌릴 때 빨래통에 넣지 않은 내 외투를 자주 돌려버린다. 내 버즈가 두 번이나 세탁기에 들어갔는데, 웃긴 건 건조기까지 돌고 나와도 멀쩡히 작동한다. 1년 가까이 지난 일이지만 아직도 잘 쓰고 있다. 여하튼, 그는 집안일을 안 해도 된다고 내가 말했기에 가끔 빨래를 개어줘도 선녀처럼 예뻐 보인다. 그거면 되었다. 그래서 빨래에서는 손을 떼라고 했다.

글을 처음 작성할 당시에도 아팠는데, 지금도 경조증삽화와 함께 겹쳐서 아프니 감정까지 널뛰며 전투적인 기분이라 어떻게 해야 할지 모르겠다.

모두가 같은 마음이겠지. 그녀보다는 내가 아픈 게 낫다.

9. 그녀는 자란다

내가 네 엄마가 나라서 미안해

공황발작으로 어지러워 식탁을 부여잡고 있을 때, 그녀가 잠에서 깨어났다. 어제 그녀에게 공주 옷을 입혀주기로 약속했었다. 맞다, 그녀는 드디어 모든 딸들이 거쳐 간다는 '공주 시기'에 도래한 것이다.

"잠시만, 엄마가 조금 어지러워서. 조금만 기다려줄 수 있겠어?"

그녀는 예전에 임자가 플스를 하던 간이 의자에 기대어 토끼를 주무르며 나를 시무룩하게 바라보았다. 땀과 눈물이 줄줄 흐르는 가운데, 그 눈빛이 사랑스러웠다. 최근에 밥 안 먹는다고 소리 질렀던 것이 미안해졌다. 언제 이렇게 커서 내 상태가 안 좋은 걸 눈치채기 시작한 걸까? 마음이 술렁였다. 네 앞에서 약해지기 싫다. 미안해.

벌떡 일어나서 옷을 고르고 타이즈를 신기고, 색깔 맞춰 양말을 신겨주고, 샤- 원피스를 입혀주었다. 그녀는 기뻐했다. 전에 친구가 알려준 숨 쉬는 방법이 생각나서 크게 숨을 쉬니 정신이 돌아오는 것 같았다. 눈시울이 뜨끈해졌다. 그녀를 어린이집에 데려다주고, 오늘도 기록을 시작한다. 나는 왜 글을 쓰는지도 모른 채 글을 쓰고 있다. 언젠가 네가 나의 글을 읽으면, "뭘 이렇게 많이 쓰셨어요?" 하고 웃을 것이다. 사랑한다. 사랑한다.

기록. 기록해야 해. 써야 해. 써야 한다. 이것은 끈적하고, 병적인 집착이다.

너를 사랑한다는 것만 알아다오!

10. 그녀는 눈을 보는 것만 좋아해

나는 그런 그녀를 보는 걸 좋아해

임자가 일본에서 사 온 과자들은 참 맛있다. 특히 하얀 연인 과자나 바나나 과자는 그녀를 대만족시켰다. 아침에도 세 개를 뚝딱 먹어치우는 그녀를 보며, '아, 저건 내가 손대지 말아야지' 하고 생각했다. 어린이집에 가기 전, "엄마가 안 먹을 테니 걱정 말고 다녀와"라고 말했더니 반짝이는 눈으로

"네에-!"

하고 힘차게 대답했다. 공주 시기가 이제 막 시작된 그녀에게 타이즈가 부족하다는 걸 발견하고, 레깅스를 사주기 위해 키를 재보니 어림잡아 97cm 였다. 글을 쓰면서 주문하는 걸 잊지 말아야겠다고 되새겼다. 공주 시기는 정말 어렵구나.

나는 추위를 잘 타지 않는다. 지금 감기로 골골대는데도 하나도 안 추워 반팔을 입고 있다. 슬리퍼를 신는데 그녀가 뒤에서 "추워-! 따따따뜨! 엄마, 마스크 써요!" 라고 말한다. 그녀가 저 정도로 말하는 것도, 내가 평소에 얇게 입는 것을 걱정하는 것도 놀라웠다. "어어, 다른 사람 말은 안 들어도 너 말은 들어야지." 나는 슬리퍼를 신고 다니는 편인데, 그녀가 잔소리하는 것은 싫다. 임자가 그 부츠는 영의정 부츠냐고 놀렸던 따뜻하고 까만 부츠를 꺼내어 신었다. 이건 라떼 국민부츠라고...

위층에 사시는 시부모님은 눈이 오거나, 날이 영하로 떨어지면 직업상 바빠지신다. 집이 비어 있더라도 아가의 손을 잡고 인사하러 간다. 혹시나 하고 계실 수 있다는 예상을 하고 가는 것이 아니라, 할머니 할아버지께 아침 인사하는 것이 당연하다는 것을 알려주기 위함이다. 훗날 그녀가 사춘기가 오더라도 그럴 수 있도록. 오늘도 노크를 해본다. 안 계셔서 할머니 할아버지는 출동하셨다. "알겠지? 다녀오겠습니다." 하고 현관에 인사하고 간다. 계단을 내려오는 길에 그녀가

"하얀 눈! 반짝반짝해!"

라고 말한다. 맞아, 눈은 하얘! 네 눈에는 저것이 빛나는 세상으로 보이는구나! 그녀의 눈에 비친 세상은 아름답다. 저 눈이 녹으면 땅이 얼고 미끄러질까 걱정하는 내 세상과는 다르다. 아름다운 세상. 집 밖을 나선다. 자전거를 타지 않겠다는 그녀의 말에 "손을 꼭 잡는 거야." 하고 신신당부한다. 그녀는 손잡는 것을 매우 싫어한다. 비틀어 빼려고 한다. "그러면 걸어가지 않을 거야. 네가 싫어하는 유모차를 탈 거야."라는 말에 그녀는 손을 내민다.

그녀가 장갑을 불편해하길래 보니 어느샌가 장갑이 작아져서 엄지손가락 하나가 다 들어가지 않는다. 내가 경조증삽화와 감기로 골골거리는 사이 이런 걸 눈치 못 챈 걸 발견하면 나 자신에게 화가 난다. 미안. 미안, 작은 장갑. 어린이집 앞까지만 쓰고 내일부터는 큰 장갑으로 바꿔줄게. 미안.

손잡고 걷는데도 그녀가 작아서 미끄덩하고 넘어졌다. 놀랐지만 손을 잡고 있어서 엉덩방아를 찧었다. "괜찮아?" 하고 물으니 그녀는

"네에."

라고 대답한다.

"이게 미끄럽다는 거야, 미끌미끌, 빙-판. 미끄러지다."

"미끌미끌!"

그녀가 웃는다. 맞아, 미끄러진다. 조심해야 해. 그래서 엄마 손을 잡고 걷는 거야. 가자. 아직 멀쩡한 눈더미를 발견해서 밟아보게 하고 싶었다. 그런데 그 순수하게 새하얀 덩어리들을 보더니 그녀가 뒷걸음질쳤다. "밟아봐. 재미있을 거야." 내가 한 발을 밟는데

"하지 마-! 무서워-!"

응. 알겠어. 이거 밟으면 뽀득뽀득하고 좋은데, 해볼래? 싫다고 고개를 젓는다. 그래, 언젠간 밟아보자. 그녀에게 말한다. 그녀는 끄덕인다. 그녀는 눈을 보는 것만 좋아한다. 마음속으로 메모한다.

11. 그녀는 목살을 좋아해

나와 이제 건배까지 해주는 그녀

“

자유 남편이 해외에서 돌아왔다.

신랑은 해외여행을 무척 좋아한다. 아이가 태어난 후로 한 번도 나가지 못하니, 해외를 무척 그리워하는 것 같았다. 그래서 결혼기념일 선물로 신랑에게 혼자 다녀오라고 했다. 아가는 내가 씩씩하게 돌볼 테니 걱정 말라며.

신랑은 다녀와서 행복해했다. 여행지에서 찍은 사진들을 보여주며, 눈빛이 반짝거렸다. 그의 얼굴에는 오랜만에 느낀 자유와 설렘이 가득했다. 그런 신랑을 보니 나도 덩달아 행복해졌다. 때론 서로를 위한 시간도 필요한 법이라는 걸 새삼 깨달았다.

신랑은 외국에서 돌아오면 김치찌개와 삼겹살을 먹는 것을 좋아한다. 아침에는 김치찌개를 해주었고, 저녁에는 삼겹살을 먹으러 가자고 했다. "삼쏘하시죠."라고 말하며 어머니께 아이를 맡기고 신랑과 함께 외출했다. 그런데 아빠가 며칠 안 보여서 그런지, 아빠와 엄마가 나가는 모습을 CCTV로 본 그녀는 기겁하며 쫓아왔다. 이럴 줄 알았으면 메뉴를 다른 걸로 했을 텐데.

그녀가 쫓아왔을 때는 이미 불판에 고기가 구워지고 술이 나온 상태였다. 속으로 삼겹살 하나 편히 못 먹는 현실에 잠시 한숨을 쉬었다. 그런데 그녀는 그런 나를 부끄럽게 만들려고 작정이라도 한 듯, 찾아와서는 목살을 물과 함께 잘 먹더니 '짠'까지 해주었다. 우리가 어디 멀리 가지 않는다는 것을 알고 나서야 다시 할머니와 함께 집으로 돌아갔다.

청하 두 병에 숙취로 뻗어 있는 내게 해장으로 더블 민트 아이스크림까지 가져다 주던 그녀. 나를 부끄럽게 만드는 나의 선생님.

부끄럽고 부끄러운. 사랑하고 사랑하는.

12. 그녀와 그

번외 편

한국에 돌아와서, 혼자 간 게 미안했던 나는 어린이집 등원을 휴가 내내 내가 하겠다고 선언했다. 아침에 달게 자고 있는데 어디선가 시선이 느껴졌다. 눈을 떠보니 와이프가 살벌한 눈으로 나를 쳐다보고 있었다.

"... 어린이집 오빠가 보낸다면서요? 안 일어나요?"

앗차차, 알람을 맞추지 않고 그냥 자버렸다. 부랴부랴 일어나 그녀를 깨워 어린이집에 보내려는데, 그녀가 할머니 할아버지를 만나러 가겠다고 한다. 이게 무슨 자다가 봉창 두드리는 소리냐? 어린이집을 가야지, 왜 할머니 집을 가는 거야? 와이프가 말했다.

"아침마다 하는 소리니까 무시하시면 돼요."

등원시키려고 기저귀를 갈고 있는데 갑자기 시리얼에 꽂혀서 그녀는 저걸 먹어야겠단다. 시리얼을 말아주고 티비를 켜자마자, 안방에서 싸늘하게 식었지만 굉장히 뜨거운 열기가 느껴지는 이를 악문 듯한 발음의 임자의 목소리가 들린다.

"여보, 지금 뭐 하는 거야?"

그 순간, 나는 상황의 심각성을 깨달았다. 등원 준비는 아직 멀었고, 시간이 촉박했다. 임자의 목소리에서 느껴지는 분노는 나를 얼어붙게 만들었다. 나는 급히 속도를 높이고, 그녀를 서둘러 옷 입히기 시작했다.

"조금만 더 빨리 움직여야겠다." 나는 혼잣말을 하며 등원 준비를 마무리했다. 와이프의 날카로운 눈빛을 뒤로 하고, 나는 그녀의 작은 손을 잡고 서둘러 집을 나섰다.

"아빠, 우리 할머니 집 가요?" 그녀가 물었다.

"응, 나중에 가자. 지금은 어린이집 가야 해." 나는 웃으며 대답했다. 그녀는 이해한 듯 고개를 끄덕였다. 티비를 켜달라는 아이의 말에 나도 모르게 전원을 켰다.

"으른으즙 그그 즌으 트브 크즈 므스으..."

(어린이집 가기 전에 티비 켜지 마세요...)

"물병 챙겨야 해요."

"아니, 물'병'만 말고 물도 담아야 해요."

"간식 그만 먹여요. 가자마자 오전 간식 먹어요."

아니 왜 이렇게 정신이 없는 건가. 원래 어린이집 보내고 나면 이만큼 진이 빠지는 거야?

“

그럼 재가 일어나서. 어머니, 아버님 기침하셨습니까?

소녀 그럼 알아서 기저귀를 갈아입고, 의복을 차려 입고

소학당에 다녀오겠나이다. 이럴 줄 알았냐?

아니 그 정도까진 아니지만... 내가 출근한 사이에 당신은 전쟁을 치르고 있었구나 싶네.

“아, 그리고 어린이집 등원 시키기 전에 위에 들러서 할머니 할아버지한테 인사하고 가야 해요.”

아니, 문안인사까지?

“올라갈 때 안아주지 마세요.”

네...

아침부터 분주하게 아이를 챙기고, 예상치 못한 일들에 대응하며, 끝없이 반복되는 일상 속에서도 부모로서의 역할을 충실히 해내는 모든 부모님들. 우리는 서로가 얼마나 고군분투하는지 알고 있다.

아이들이 잠든 밤, 피곤한 몸을 이끌고 잠시의 휴식을 취하는 그 순간에도, 우리는 내일을 준비하며 마음의 다짐을 한다. 부모로서의 책임과 사랑은 끝이 없다.

어려운 상황에서도 웃음을 잃지 않고, 힘든 순간에도 아이들을 위해 최선을 다하는 모든 부모님들. 우리가 하는 일은 결코 작지 않다. 우리의 노력이 아이들의 행복한 미래를 만든다.

그러니, 모든 아버지, 어머니. 힘내세요! 우리는 함께 이 길을 걸어가고 있습니다. 서로를 응원하며, 오늘도 힘차게 살아갑시다.

모든 아버지, 어머니. 힘내라!

13. 그녀는 크리스마스를 좋아해

나도 이제는 크리스마스가 좋아졌어

크리스마스는 빨간 날이기에 그녀의 어린이집에서는 미리 일찌감치 행사를 했다. 어린이집은 크리스마스 분위기로 가득했고, 아이들은 설레는 마음으로 산타클로스를 기다렸다. 드디어 산타가 등장하자, 아이들은 환호성을 질렀다. 산타의 흰 수염과 빨간 옷을 본 그녀는 눈이 반짝이며 산타를 향해 외쳤다.

"싱-기-해-!"

그녀는 기쁨에 가득 찬 얼굴로 선물을 받았다. 산타를 만난 순간은 그녀의 마음에 따뜻한 추억으로 남았다. 예의 바르게 인사를 시키고, 산타에게 선물을 전달받고 사진촬영을 같이 했다. 오른손은 임자가 그녀의 손을 잡아주고, 왼손은 내가 손을 잡고 집으로 오는 길.

"크마-뜨! 크마-듀! 하얀. 눈. 펑펑!"

처음에는 그 말이 무슨 말인지 몰랐는데, 크리스마스 관련된 장식을 보고 '크마뜨'라고 하는 걸 보고 나서야 아, 크리스마스를 말하는 거였구나. 나는 장식품들의 이름을 하나하나 알려줘 가며 그녀를 안고 크리스마스가 좋으냐 물었다. 그녀는 행복해했다. 나는 그녀가 아니기에, 얼마나 행복한지는 알 수 없지만 적어도 행복해 보였다. 그걸로 되었다.

크리스마스 선물로 친구가 그녀에게 나무늘보 인형과 무드등을 주었다. 나무늘보는 외국의 산타 친구 별명이라고 했다. 친구는 "나무늘보와 그녀가 같이 있는 것이 좋을 것 같다"며 무드등과 함께 선물했다. 그녀는 나무늘보를 꽤 나 귀여워했고, 무드등은 어느새 호정이보다 나를 더 빨리 재우는 물건이 되어 버렸다.

그녀는 가물가물 잠이 들락 말락 하다가 무드등이 꺼지자 "우앵-" 하고 울었다. 나는 자다가 깨어 무드등을 켜주고 달래 주었다. 그 모습이 사랑스러웠다. 평소에도 나는 그녀보다 먼저 잠드는 편이다. 머리만 붙이면 바로 잠드는 나로서는, 노숙도 잘할 정도로 잘 잔다. 내가 그녀의 엉덩이를 토닥거리거나 가슴께, 혹은 등 어깨를 토닥이며 "어야- 코코넨네 해야지"라고 흉내 내는 것을, 그녀는 작은 손으로 내 팔뚝이나 가슴을 토닥토닥해주며 따라한다. 그 모습이 너무 사랑스럽고 간지러워서 푸흐흐 웃다가 스르륵 잠이 든다.

가끔 그녀가 "코오?" 하고 손을 휘적휘적해 보면서 내가 눈을 안 뜨고 대답이 없는지 확인한다. 그러고는 거실로 나가서 장난감을 만지작거리거나, 나와 임자의 흉내를 내며 동화책을 거꾸로 들고 읽다가 다시 들어와 놀다 잠든다. 그래서 아침에 정말 못 일어난다. 아침형 부모와 올빼미 딸의 줄다리기다.

이 글을 읽으시는 모든 분들께, 메리 크리스마스.

14. 그녀에겐

나무늘보 산타가 있어

나는 어쩔 줄 모르고

해외에 사는 친구가 그녀에게 선물을 보냈다. 박스를 열었는데 아이의 선물들이 가득해서, 처음엔 고마운 마음보다는 '뭘 이렇게 많이 샀냐'며 뭐라도 다시 보내줘야겠다고 생각했다. 그런데 친구가 자신의 주소를 남기지 않아 한 시간 동안 좌절했다.

추리소설에 나온 것처럼 운송장에 연필 자국이라도 있을까 싶어 연필로 슥슥 긁어보기도 했다. 친구는 편지도 같이 보냈다. 편지 초반에 "선물을 많이 보내서 네가 화낼 걸 알고 있다"는 뉘앙스의 글이 있어서 화가 도리어 푸슉 하고 식었다. 친구는 의외로 나를 잘 파악하고 있었다. 그녀를 데리고 하원하는 길에도 얼마나 심란하던지, 내가 친구에게 해줄 수 있는 게 없어서 몇 십 년 뒤에나 공개하려고 했던 아무도 안 알려준 책 초판본의 이스터에그를 알려주었다. 착각일지 모르지만 친구가 은근히 기뻐하는 것 같아서 다행이었다.

집에 들어온 그녀는 내가 너무 황망해서 정리를 해두지 못한 선물들을 보고

"아빠? 사 왔어?"

"아니, 나무늘보 언니가 네게 준 거야."

"-!!"

그녀는 처음엔 초콜릿 쿠키를 동물 이름들을 말해가며 신나게 먹었다. 화가 식고 나니 고마운 마음만 계속 차올랐다. 먹이고 씻기고 하는 내내 어딘가 미

안한 마음이 얹힌 듯 불편했다가, 정신없이 읽었던 편지를 다시 꺼내 읽었다.

친구는 나의 엉망진창 집안사를 다 알고 있어서 다시 태어나면 서로 엄마가 될 거라고 티격태격하는 사이다. 편지에 "이건 좀 엄마 같지 않냐"는 말에 혼자 식탁에 엎드려 울었다. 그녀는 걱정하는 것처럼 보였다.

"엄마 울어."

"좋거나 기뻐도 눈물이 날 수 있어. 응." 하고 설명했다. 복잡한 기분이었다. 나의 친 어머니, 그녀의 외할머니는 얼마 전에 싸우고는 연락을 끊었다. 받은 것이 아예 없다고는 할 수 없지만, 그녀를 키우면서 내가 아는 '엄마'라는 단어는 증오와 경멸에 가까운데, 잘 키울 수 있을까? 하는 생각만 가득했고, 지금도 다른 엄마들을 흉내 내기만 급급하다. 그런 내게 "다시 태어나면 네 엄마가 되어서 잘해주고 싶다"는 친구의 말은 그냥 고맙고, 슬프고 또 슬펐다.

저녁이 되어서 친구가 보내준 잠옷으로 갈아입히고, 색칠놀이를 하는데 그녀가 매우 기뻐했다. 그녀는 다음날 과자와 선물들을 보고

"산타 선물! 호정이가 받았어!"

앗, 그녀는 친구가 산타인 줄 알았나 보다. 나는 그녀에게 더 설명하려다 말았다. 틀린 말은 아니야. 산타 맞아. 그녀는 이어지는 그 다음 날까지도 산타에게 받은 거라며 내게 자랑을 했다.

응, 산타가 있어. 엄마 친구는 산타야.

15. 그녀와 그들

그의 작은 소원

언젠가 아이를 낳으면 꼭 해보고 싶다고 했다. 그 소원을 드디어 이루었다. 낮잠 시간이 끝나자마자 아이를 데리러 가서 이 지역에서 가장 큰 키즈카페로 간 것이다. 왜 제목에 '그들'이라고 했느냐 하면, 계획 도중에 내가 난입해서 나도 같이 갔기 때문이다.

그녀는 어린이집에서 나와 그의 품에 안겨 매우 기뻐했다. 키즈카페로 가는 내내 그녀의 발은 쉴 새 없이 동동거렸다. 그는 오이를 매우 싫어하는데, 오이를 보니 친구 중에 오이를 매우 좋아하는 '히-오이-마메'라는 친구가 생각나서 들고 사진을 찍으려 했다. 그런데 그녀가 오이를 집자마자 그가 기겁하는 걸 보고, 그녀가 오이 몽둥이를 들고 깔깔거리며 쫓아다니는 바람에 사진 찍는 것은 실패했다. 아쉬움이 남는다.

키즈카페에서 세 시간 중 두 시간 반 넘게 그녀는 쉬지 않고 뛰어놀았다. 그가 내가 아르바이트하는 가게에 새로 나온 마제 타마고 텐동을 먹고 싶다고 했기 때문에, 우리는 규카츠집에 가서 그녀에게 소고기도 실컷 먹였다. 그녀는 정말 잘 먹는다. 그래서 뿌듯하면서도 부끄러웠다. 이 부끄러움은 잘 먹는 데서 기인한 것이 아니라, 마치 내가 그녀를 굶긴 것처럼 보일까 봐 부끄러웠던 것이다. 비슷하지만 다른 의미의 부끄러움이다.

내가 아르바이트하는 가게 사장님의 자당께서는 그녀가 잘 먹어서 매우 예뻐하셨다. 공깃밥을 머슴밥처럼 퍼 주셔서 감사했다. 사장님께서는 아직 감기가 다 낫지 않았는지 똘똘 싸매고 기침을 하고 계셨다.

여하튼, 그녀와 그들, 알바 번외 편. 끝.

16. 그녀는 눈을 좋아하게 되었다

나는 어린이집 선생님들이 대단해

그녀는 마치 눈이 싫었던 적이 없었던 것처럼 어린이집에서 눈놀이를 배워 왔다. 이런 걸 보면 어린이집 선생님들은 정말 대단하다는 생각이 든다. 나는 아무리 달래고 타일러도 그녀가 눈을 만지지 않았는데, 어떤 마법을 부리셨는지 그녀는 눈을 뭉쳐보기도 하고, 나에게 비비고, 뿌리고, 밟으며 기뻐했다.

오늘 등원하는 길에도 그녀는 나와 눈놀이를 실컷 하다가 등원했다. 마스크를 써주면 좋겠지만, 그녀는 마스크를 싫어한다. 마스크가 작아서 그런가 싶어 큰 걸로 바꿔봐야겠다. 하원 길에는 너무 추워서 놀지 못하고 집으로 들어가려고 했는데, 그녀가 오랜만에 드러눕기를 시도해서 가방을 붙잡고 못 눕게 했다. 거북이처럼 버둥거리는 그녀에게 단호히 혼내자, 어린이집 앞 보호자들이 전부 쳐다보고 어르신들이 "아이고, 왜 그래~" 하셨지만 나는 못 들은 척했다. 안 되는 건 안 되는 거야, 하고 데리고 집으로 왔다.

집으로 오는 길에 그녀가 할머니네 가고 싶다고 했지만, 오늘도 너무 추워서 바쁘신 관계로 "미안하지만 안 계셔."라고 말하자 그녀는 시무룩해졌다. 괜히 미안해져서 "조금 있다가 색칠놀이를 하자."라고 했더니 작게 대답했다. 그러다가 창밖을 보더니 그녀가 "우-와! 탈! 타알!"이라 말했다.

"달? 엥? 달? 어디?" 하고 올려다보았는데 정말 달이 떠 있었다.

"정말이야! 달! 어떻게 본 거야! 대단해!" 그녀를 양껏 칭송해 주자 그녀는 의기양양해하며 기뻐했다.

휴, 오늘도 이렇게 하루가 지나간다.

친구는 이 이야기를 읽더니

“달을 보며 달이라고 외친 것이 왜 감격스러운지 생각해 봤어. 네가 달을 보며 기뻐한 적이 있었을 것 같아. 그래서 엄마에게 달이 떴다고 크게 알려준 것은 아닐까? 나의 추측일 뿐이지만 그런 상상만으로 기분이 좋아지는 오후네.”

라고 해주었다. 그녀의 마음은 나보다 주변 사람들이 더 알아준다.

17. 그녀와 그녀와 나

그녀를 사랑하는 사람들

그녀에게 임자는 무언가를 해주면, 그녀는 너무 당연하다는 듯이 받아들인다. 우리 집(친정)에서는 작은 일에도 "감사합니다."라고 말하는 것이 익숙했기에, 나는 그녀에게도 그걸 그대로 알려주었다. "이거 받아, 호정아." 임자가 무언가를 건넬 때, 나는 옆에서 말했다. "뭐라고 해야 하지?"

그녀는 고개를 갸웃거리다가, "감사합니다."라고 작은 목소리로 말했다.

처음엔 어색해하던 그녀도 점차 익숙해졌다. 임자가 무언가를 해줄 때마다, 그녀는 자연스럽게 "감사합니다."라고 말하게 되었다.

작은 일이지만, 그녀에게 감사의 마음을 가르치는 일은 중요했다. 일상 속에서 작은 고마움을 표현하는 법을 배우는 그녀를 보며, 나는 뿌듯함과 함께 부모로서의 역할을 실감했다.

그녀가 점점 더 많은 것들을 배워가며, 더 나은 사람으로 자라길 바라는 마음을 담아, 오늘도 나는 그녀에게 작은 예의를 가르치고 있다.

"따라 해 봐, 아빠-"

"압바-"

"감사-"

"간다-"

"합니다."

"하지 마."

...?

그녀는 언어를 배우는 과정에 있어서 우리와 조금 다른 말을 했다. 해당 발달과정은 내가 그녀의 말에 집중하게 도와주기도 하면서, 듣는 제3자인 남편의 입장에서 웃기다고 하셨다. 사실 나도 웃기다.

<욕조에서 물놀이를 하다가>

"(그녀) 아거지- 안 돼요."

"(나) 아버지가 뭐가 안되는데?"

"(임자) 바가지가 안된다고."

"(나) 아! 바가지 달라고..."

"(그녀) 네에-!"

나는 그녀의 언어 2등급, 임자는 그녀의 언어 1등급이라 언제나 도움을 받는다. 외국어를 배우는 듯하다. 그녀는 얼마나 어려울까? 기특하기도 하다. 출근길 무릎 위에 앉혀놓고 뽀뽀하고 같이 거울 보는데 계속

“엄마 히데, 엄마 비데-!”

“엄마... 비데...?”

“히데-!!”

“정말 죄송한데, 제가 못 알아듣겠으니 설명해 주겠습니까?”

그녀는 내 무릎 위에서 폴짝 뛰어내려가더니 동그라미를 만들어 똑! 딱! 똑! 딱! 이라고 설명해 주었다. 아 시계! 설명해 달라니까 해주네. 신기해. 그러던 와중에 J 씨에게 알람이 왔다. 요즘 나의 소설에 자주 등장하는 그녀.

그녀와 나

그녀와 나의 행복을 기원하며, 그림을 그려 주셨다. 너무 기뻤다. J언니가 엄마랑 호정이를 그려주었어! 그녀에게 보여주었더니

"엄마랑 호정이. 제- 언니가! 그려줬어!"

그녀는 기뻐하며 색연필로 색칠했다. 이제 대화가 제법 잘 통하는 그녀와 나. 그녀를 사랑해 주는 사람들과 그녀.

18. 쥐꿈과 나

번외 편

“

어젯밤엔 아주 생생한 꿈을 꾸었다.

나는 꿈에서 카프카의 변신을 간이 책장에서 꺼내고 있었는데, 그녀가 옆에서

“씨발.”

이라고 하는 것이었다. 너무 놀란 나는 꿈에서도 심장이 벌렁거릴 수 있다는 것을 알았다. 나는 그녀에게 말했다. 그 말은 좋지 않아. 게으른 사람들이 쓰는 말이야. 다른 말로도 얼마든지 나쁜 말을 할 방법은 얼마든지 있어. 그 말을 누가 네 앞에서 했어? 하고 물었다.

“엄마가! 키보드 하면서!”

나는 눈을 번쩍 떴다. 이것이 꿈인지 현실인지 구분이 안되어 한참을 매트리스에 앉아 멍하게 있었다. 아 세상에 내가 꿈을 꾼 게 맞긴 하는데, 혹시 그녀 앞에서 글을 쓰다가 욕을 한 적 있나? 가끔 문장 앞뒤를 조절할 때 짜증이 나긴 하는데 예를 들어

바다는 자상하고 아름답다.

자상하고 아름다운 바다였다.

이런 부분에서 고민을 할 때 머리를 쥐어뜯긴 했는데, 나도 모르게 욕을 했나? 하고 그녀 앞에서 입조심을 해야겠다는 생각을 했다.

내가 이 이야기를 하자, 운전할 때면 욕을 가끔 뱉는 임자도 같이 놀라서

"아 우리 정말 조심해야겠다."

라고 하셨다. 말을 배우는 아이는 정말 별 말을 다 따라 한다. 어젯밤에는 정수기 앞에서 남편이 사극 톤으로 말했다.

"자네! 물이 먹고 싶은 겐가!" 하고장난을 쳤는데 그녀가

"싶습니다!"

엄청 크게 웃었다. 그것이 웃기면서도 불안도가 높고 걱정이 많은 나는, 아 정말 입 조심 해야겠구나 하는 생각을 하다 잠들어서 그런 것도 같다.

보통은 이런 꿈들을 개꿈이라 하지만 그녀가 쥐띠이므로 쥐꿈이라 했다. 이 꿈을 꾸고 나서 브런치 연재물 소설에 3화를 올려야 하는데 7화를 실수로 업로드해서 취소를 하려니 브런치 북을 통째로 날려야 했다. 글들은 살아있지만 앞으로 잠결에 글 발행을 하지 않기로 하였다...

19. 그녀와 미용실

나는 무서웠는데 그녀는 용감했다.

나는 그녀의 머리를 자르고 나서, 머리카락을 볼 때마다 죄책감을 느꼈다. 임자는 그런 나를 보고 미용실을 알아보았고, 연말 기념으로 셋이 다 같이 머리를 하러 가자고 했다. 다행히 단골 미용실에서는 아이가 울어도 괜찮다며 머리를 해주겠다고 했다. 감사했다.

낮잠을 일부러 재우지 않고, 멍한 상태로 데려가서 폰을 보여주니 그녀는 생각보다 얌전했다! 우리는 소리 지르고 엉망으로 바둥거리고 난리가 날 줄 알았다. 물론, 처음 분무기로 물을 뿌린 빗의 차가운 감촉과 가위의 서늘한 느낌에 움츠러들며 "무서워!"라고 말했다.

짠하긴 했지만, 나는 그녀에게 구르프를 둘둘 말고 있는 내 머리를 보여주며, "나도, 엄마도 머리를 하고 있어. 이거 봐." 하며 달랬다. 목에 천을 두를 때도 놀라서 임자가 먼저 시범을 보여주기도 했다.

그녀는 처음에는 긴장했지만, 곧 익숙해졌다. 임자가 먼저 차분하게 시범을 보이니 그녀도 안심한 듯했다. 미용사분은 능숙하게 그녀의 머리를 다듬기 시작했고, 그녀는 폰에 집중하며 얌전히 앉아 있었다.

그녀는 자신의 머리카락이 바닥에 툭툭 떨어질 때마다 "우와아~" 하고 감탄했다. 머리카락을 보며 "내 머리카락!" 하고 신기해하기도 했다. 자신의 신체의 일부였던 것이 떨어져 나가는 것이 그리 신기했던 모양이다.

가벼워진 머리카락을 신기해하고 좋아하는 그녀의 모습을 보니, 나도 너무 기뻤다. 이제 미용실에 올 때마다 자주 데려와서 적응시키고, 나중엔 펌도 같이 해야지 하는 생각이 들었다.

그녀는 내가 머리를 하고 있을 때 다가와서는 "짜쟌-!"이라며 한 손을 들어 보였다. 그 모습이 자꾸 기억에 남아 맴돈다. 몸을 빙글빙글 돌리며 나에게 보여주기도 했다. 그녀는 할머니를 가장 좋아하고 사랑하는데, 이럴 때 보면 나도 사랑하는 것 같다.

이제 그녀와 함께 미용실에서의 추억이 하나 더 쌓였다. 그녀가 앞으로도 이런 작은 일상 속에서 많은 것들을 배우고, 즐거움을 느끼길 바란다. 그리고 그 과정에서 나도 그녀와 함께 성장해 나갈 것이다.

그녀의 미용실 첫 방문은 성공이었다. 용감한 그녀.

20. 그녀의 댓글 양치기

나는 양들의 댓글을 관리한다.

클라우드 용량을 아끼기 위해 긴 영상을 짧게 편집하고 자막을 넣어 유튜브에 아이의 영상을 업로드하곤 했다. 가족들끼리 낄낄거리며 공유해서 보려고 했던 건데, 어느 날 갑자기 구독자가 300명을 넘기더니, 현재는 2천 명이 되어버렸다. 더 이상 업로드할 생각이 없었는데, 수익창출이 가능하다는 알림이 계속 온다. 소개 글에 이미 '수익창출용이 아닌 일기장'이라고 써 두었지만, 쇼츠에 올린 아이의 영상에는 엄청나게 많은 칭찬 댓글이 달렸다. 기쁜 마음도 잠시였다. 아이가 문을 여는 영상에서 손가락이 끼겠다는 댓글, 왜 조부모집에 미리 연락하지 않고 가서 아이를 기다리게 하느냐는 댓글, 손가락 잘리기 딱 좋겠다는 댓글 등 선을 넘는 댓글들이 슬슬 늘어나기 시작했다.

<<인스타와 유튜브 게시물로 보는 댓글 여론>>

<게시물 A>

양치기 하나가 "이것은 무서운 늑대다!"라고 외친다. 그 게시물의 주인공은 갑자기 늑대가 되어버린다. 사람들은 그 늑대가 맞아 죽어야 한다고 떠들어댄다.

<게시물 B>

A와 같은 게시물인데, 이번에는 양치기가 "이것은 순하디순한 양이다!"라고 외친다. 그러자 그 게시물은 순한 양으로 받아들여진다.

그 사이, 늑대로 몰린 <게시물 A>는 마을 사람들의 매질에 두들겨 맞는다. 여론몰이를 당한 마을 사람들은 이제 렉카가 끌고 간 <게시물 C>에서 외친다. "이것은 사실 늑대요! 순하디순한 양으로 보이시오?"

이렇게 댓글 하나로 여론은 쉽게 뒤바뀐다. 무섭게도, 사실 여부와 상관없이. 작은 외침 하나가 대중의 시각을 바꿀 수 있는 이 시대. 그 속에서 우리는 무엇을 믿어야 할까? 판단은 결국 개인의 몫이지만, 그 과정에서 얼마나 많은 피해자가 생겨나는지, 그 속에서 우리 모두가 한 번쯤 깊이 생각해봐야 할 문제다.

더 중요한 것은 비판과 혐오가 아닌, 사실을 기반으로 한 이해와 공감이다. 우리는 누군가의 외침에 휩쓸리기보다, 스스로의 눈과 귀로 진실을 찾아내는 노력을 기울여야 한다. 그렇게 할 때, 비로소 우리는 건강한 소통의 문화를 만들어갈 수 있을 것이다.

인스타를 통해 배운 여론이라는 것은 탕후루 설탕 코팅처럼 얄팍하고 자극적인 맛이다. 나는 그런 자극적인 댓글들을 전부 지웠고, 지우겠다고 공지했다. 그리고 조부모의 집은 바로 위층에 있어 연락할 필요가 없다고 설명했다. 그러자 좋은 댓글들만 늘어갔다. 결국, 얄팍하고 얄팍한 여론몰이를 하게 된 셈이다.

댓글 하나에 흔들리는 여론, 그 얄팍함 속에서 우리는 무엇을 보고 믿어야 할까? 쉽게 휘둘리고, 쉽게 자극받는 우리의 모습에서 진정한 소통의 의미를 다시금 생각하게 된다. 하지만 그럼에도 불구하고, 진실을 알리고, 오해를 풀기 위해 우리는 계속해서 노력해야 한다.

좋은 댓글들이 늘어난 것은 다행이지만, 그 속에서 내가 원하는 것만 보려고 하는 것은 아닌지 반성해본다. 여론을 어떻게 다루고, 어떻게 받아들여야 할지 다시금 고민하게 된다. 진실을 기반으로 한 소통, 그리고 서로에 대한 이해와 공감이 중요하다는 것을 다시 한번 깨닫는다.

탕후루의 설탕 코팅처럼 순간의 달콤함에 현혹되지 않고, 그 안의 진짜 맛을 찾는 노력을 계속해야 한다. 인스타에서의 경험을 통해, 우리는 더 나은 소통의 방법을 배워야 한다.

"

악플들 중 일부

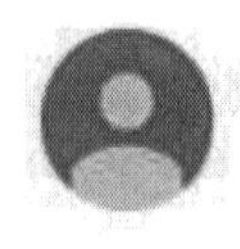

님의 답글: '교육 안 시켰잖아! 왜 거짓말 해 이 뻔뻔한 인간아!!!!!'

6일 전

악플에도 점수가 있는데 재미도 감동도 없었어요. 공부해 오세요.

님의 답글: '알아서 잘할거고 싫은소린 듣고싶지 않으면 영상을 공개하질 말던가 마이웨이네'

4일 전

맞아요! 저 마이웨이예요! 그래서 선생님 댓글 바로 삭제했어요 :)

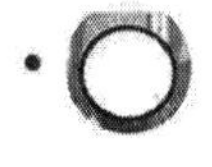

: 많은 걱정과 관심 주셔서 감사합니다. 잘 돌보겠습니다 하면 되지 니인생이나잘돌보라고말싸가지없게잘하네

1시간 전

말 잘한다고 해주셔서 너무 감사해요. 이런 댓글들 좋아요.

“

나는야 양치기! 양들의 댓글을 관리한다.

유튜버가 아닌데도 이 정도면 연예인들은 얼마나 힘들까? 그런 생각이 들면서, 그들의 고충을 조금이나마 이해하게 된다. 그냥 많은 생각이 들어서, 결국 댓글을 더 놔두는 편이다.

악플과 비난 속에서 살아가는 사람들의 마음은 어떨까? 그들의 삶은 얼마나 더 복잡하고 어려울까? 내가 경험한 작은 일들이 그들의 일상이라는 것을 생각하면, 그들이 겪는 스트레스와 압박은 상상조차 어렵다.

댓글을 관리하고, 여론에 신경 쓰는 것이 지치는 일이지만, 이를 통해 한 가지 배운 것이 있다. 소통의 중요성과 그 어려움. 진실을 알리고 오해를 풀어가는 과정이 얼마나 중요한지 깨닫게 된다. 많은 이들이 내 이야기를 보고, 듣고, 때로는 오해하고 비난할 때, 그 속에서 나는 어떻게 반응하고, 어떻게 나아가야 할지를 배워가는 중이다. 모든 것을 통제할 수 없고, 모든 사람을 만족시킬 수 없다는 것을 인정하는 것이 더 중요한 것 같다. 이렇게 나는 조금씩 성장하고, 더 나은 소통의 방법을 찾아간다.

연예인들이 겪는 어려움을 생각하며, 나 또한 그들의 노고와 어려움을 더 이해하고 공감하려고 노력한다. 그 과정에서 나의 작은 경험들이 조금이라도 도움이 되길 바란다.

21. 그녀는 나를 돌봐줘

내가 엄만디

그녀를 밤에 재우려고 무드등을 켜고, 최대한 눈이 안 마주치려 노력한다. 사실 다정하게 다독여주고 등을 쓸어주고, 쭉쭉도 해주고 다 해보았지만, 그녀는 2시간이 넘도록 잠들지 않는다. 뭘 해도 안 잔다. 그녀는 조금 심심해야지만 드디어 잠이 든다. 그런 와중에 자는가 싶어 그녀를 슬쩍 쳐다보면, 그녀가 나를 보고 웃는다. 그러면 나는 흘러내린 슬라임처럼 헤헤 웃는다. 그녀의 입에서

"구여오."

라는 말이 나와 처음에는 당황했다. 귀여운 건 너 같은 생물을 귀엽다고 하는 거지. 어이가 없어서. 그리고 약을 꼬박꼬박 먹어야 하는 나를 보며,

"엄마, 약."

"헉, 세상에! 맞아. 약 먹어야 해."

그녀는 내 약까지 챙겨준다. 그녀는 내가 얼마나 덜렁대는지 이미 파악이 끝난 듯하다. 양치를 할 때도 그녀는 내가 양치를 했는지 물어본다.

"엄마. 치카."

"응. 해야지, 같이 해."

아침에 느지막이 일어난 그녀는 어린이집에 가기 싫다고 한다.

“가고 싶어지면 말해. 엄마 출근 전까지만 말이야. 엄마는 작은방에서 빨래 개고 있을게.”

타다다닥 하고 장판을 밟는, 강아지보다는 조금 큰 발소리가 들린다. 그녀가 온다.

“다 잤어?”

“으암- 잘 잤다.”

그녀는 꼭 아침에 일어나면 디즈니 공주처럼 저런 행동을 한다. 기지개를 쭉 켜고, 고양이 같기도 하다. 빨래를 개는 나를 보더니 그녀가 말했다.

“호정이가, 엄마. 도와.”

그녀는 나를 도와준답시고 빨래를 눈뭉치처럼 둥글게 말기 시작했다. 본 건 있어서 그래도 처음에는 바닥에 쭉 펼쳐놓고 시작하는데, 다 끝나면 동글동글. 그래서 나는 얼른 내 빨래를 잽싸게 개고, 임자의 빨래를 그녀가 개도록 내버려 두었다. 그녀가 갰습니다. 제가 아닙니다.

22. 그녀의 24년 첫 번째 주말

내가 23년 12월에 너무 돌아다녔지? 미안해

원래 연말 연초의 어른들이란 으레 그렇듯이 불려 다니고, 불러내고, 나발 불고 그러는 것이 아니던가. ~~아니다~~. 재작년까지는 자격증 준비다 뭐다 나가지도 않고, 우울증도 심했기에 나가지 않았는데. 23년 12월은 뭐가 그리 재밌고 새로운 친구들과의 만남도 즐겁던지. 좀 많이 다녔다. 미안하다. 1월은 무조건 그녀의 달이다.

대망의 첫 번째 주. 조금 멀리 돌아다니면 더 좋을 텐데, 그녀는 멀미가 심하다. 그냥 심한 정도가 아니라 A지역에서 B지역으로 이동하는 동안 최소 구토를 세 번 정도 한다. 놀아주겠다고 고문을 할 수는 없지 않은가. 그녀가 좀 더 커서 멀미약을 먹을 수 있을 때부터 멀리 가도록 하자고 생각했다. 그녀는 아직 만 2세라 멀미약을 먹을 수가 없다. 잠꾸러기들이 자는 동안, 글을 쓰고 공모전을 뒤적거리고. 키즈카페를 예약해 두었다.

> 오늘 계획 코스는 '키즈카페 → 외식 → 낮잠 → 전통 썰매' 였다.

우리는 원래 키즈카페에서 셋이 우르르 몰려다녔었다. 그녀의 체력을 두 명이서 못 쫓아가는 걸 파악하고 나서는 교대를 한다. 그것을 알고 그녀는 한 명이 좀 지쳤다 싶으면 이제 알아서 교대자를 데려간다. 내가 그녀와 놀 때는 임자가 위스키 공부를 하거나 구경을 하고. 임자가 그녀와 놀 때는 나는 노트북을 꺼내어 글을 썼다. 그러면 그녀의 체력이 금방 빠지곤 했다.

여전히 뽑기를 좋아하는 그녀. 시간이 다 되어 그녀를 설득해서 밥을 먹으러 가자고 했다. 그녀는 처음엔 싫다고 했다. 나는 그러면 매정하게 울어도 어쩔 수 없어. “안돼.” 라고 하는데, 그럼 주변에서 쳐다보시는 게 굉장히 부담스럽다. 내 육아가 잘못된 걸까?

“땅휴-!”

“응. 탕후루야.”

외식을 끝내고 근처 탕후루 가게를 갔다. 반짝이는 딸기를 보고 탕후루를 알려주니 그녀는 호기심에 너무 기뻐하다가. 막상 먹어보더니 설탕 코팅의 식감을 기분 나빠 했다. 그녀는 탕후루를 처음엔 뱉아냈다가, 나중에 입안에 남은 단맛이 여운이 남는지 탕휴를 찾았지만. 우리가 다 먹고 난 뒤였다. 그녀가 낮잠을 길-게 자고 일어났을 때는, 전통썰매장 운영시간이 종료되어 내일을 노려보기로 하였다. 그녀의 달. 첫째 주의 시작이다.

다음 날 우리는 그녀가 조금 일찍 일어난다면, 낮잠을 자고 일어난 뒤에 전통썰매를 타러 가려고 했다. 배우자는 농구를 하러 갔다.

그녀가 낮잠만 적당한 시간에 자 준다면 걸어서 갈 만했다. 하지만 어제 대흥분상태로 잠들었던 그녀는 10시 45분이 넘어서야 눈을 떴고, 내가 한참을 쓰다듬고 어루달래서야 일어났다.

그녀는 완두콩을 와와콩이라 하는데, 그것이 너무 귀엽다. 그녀의 말을 알아듣기 위해서 노력하는 과정은 너무 재미있다.

호정: "아빠, 엄마. 모두를 없애요."

정원: "모두를 없애요? 어쌔신크리드?"

아빠: "...? 아니 엄마, 아빠는 목걸이가 없어요."

정원: "아! 놀래라."

> 나의 오늘 미스터리. 아라라바다가 뭘 까? 그녀는 내게 무슨 말을 하고 싶었을까?

23. 그녀를 떠올리는 나

일하는 가게에서 있었던 일이다. 고등학생으로 보이는 아이가 들어왔다. 뒤를 따라 엄마로 보이는 손님도 들어왔다. 아이는 들떠 있었다.

"이거 먹어보고 싶었어," 아이가 말했다.

하지만 아이의 엄마는 들어올 때부터 표정이 좋지 않았다. 아이는 여전히 들떠 있었지만, 음식이 나올 때까지 엄마는 계속 인상을 쓰고 있었다. 엄마는 아이의 진로 이야기를 꺼냈다. 아이는 고2 같았다. 기껏 먹고 싶었던 음식을 앞에 두고도 수저를 들지 못했다. 아이가 "엄마," 하고 부르는 순간, 엄마는 손바닥을 아이 쪽으로 보이며 말을 멈추게 했다. 나는 못 본 체했다. 아이가 시무룩해 보였다.

"김치 좀 많이 주세요. 쥐꼬리만큼 주지 말고," 엄마가 말했다.

나는 그녀들의 입장을 모른다. 비난하고 싶지 않다. 다만 나도 지금, 티셔츠를 혼자 입고, 바지를 혼자 입는 것만으로도 기뻐서 박수를 치던 시절을 까맣게 잊고, 네가 밥숟갈 하나 못 뜨게 숨을 막을까?

부모로서 아이에게 좋은 것을 주고 싶어하는 마음은 이해한다. 하지만 그 과정에서 아이가 느끼는 작은 기쁨과 성취감을 잊지 말아야 한다는 생각이 든다. 아이가 무엇을 원하는지, 무엇을 즐기는지에 더 귀를 기울여야 한다는 것을 다시 한 번 깨닫게 되었다.

아이의 행복은 작은 것에서 시작된다. 그 작은 행복을 지켜주고 키워주는 것이 부모의 역할이 아닐까? 나는 아이가 작은 성취에도 기뻐하고, 그것을 인정받는 것이 얼마나 중요한지를 다시 생각해본다.

가게에서의 일을 통해, 나는 부모로서의 역할과 아이의 행복에 대해 다시 한번 깊이 생각하게 되었다. 아이에게 진정한 행복을 주는 것은 무엇일까? 그 답을 찾기 위해 나는 오늘도 노력한다.

24. 그 사과와 나

나도 너를 보내기 싫다

동글동글한 엉덩이를 치켜들고, 흘러내리는 볼을 이불에 묻은 채, 새 부리 같은 입모양으로 너는 쿨쿨 잤다. "아가, 일어나야지," 하면 너는 우앵- 소리를 내며 짜증을 낸다. 그런 네가 안쓰러워 토닥토닥 해주지만, 나는 "사회인은 시간 되면 움직여야 한다"라고 말하며 네가 싫어할 만한 이야기를 하곤 한다. 내가 너한테 이런 말을 하는 게 맞나 싶으면서도, 이런 방법으로 밖에 말할 줄 모른다. 대신 기분 좋게 깨워주려고 팔다리 쭉쭉 늘려주며 간지럼을 태우기도 한다. 너는 내 사랑만 받고는 살 수 없다. 나가서도 사랑받는 아이로 커라. 그리 자라게 나는 도와줄 것이다.

오늘 아가의 옷은 모자를 씌우면 사과 모양이 된다. 지나가던 상가 유리문에 비친 너를 보여주면서, "오늘의 아가는 사과예요. 이걸 봐. 짜잔!" 하고 모자를 따뜻하게 씌워서 등원시켰다. 어린이집 현관에 다 와서 선생님께 인사하다가 모자가 벗겨졌다. 신발을 벗더니 선생님 앞에서 모자를 다시 '샥!' 하고 쓰고는 한쪽 팔을 들어 보이며 "짜잔!" 하고 외쳐서 선생님과 내가 둘 다 심장을 부여잡고 귀여워하며 바이바이했다.

하원길에는

"안녕-! 안녕-!"

아가를 데리고 오는 길에 아가는 온 동네에 인사를 했다. 지나가는 차, 강아지가 그려진 간판, 버스에도 인사하고, 모르는 할아버지에게도, 지나가는 아가씨에게도. 그런데 지나가는 자동차 안의 운전자도, 버스 안의 언니 오빠들도, 할아버지도, 이름 모를 아가씨도 다 아가에게 인사를 받아줬다. 참 이상한 날이었다. 부끄럽고 기분이 좋았다.

25. '그녀'와 나

선물 받은 무드등에는 여러 가지 라벨지가 포함되어 있었다. 덕분에 다양한 모양의 그림자를 볼 수 있었다. 그녀는 특히 우주 그림자를 좋아했다. 우주선이 있는 그림자. 빙글빙글 도는 우주선을 보며 그녀가 말했다.

"나는 우주선을 제일 좋아해. 엄마, 아빠랑 같이 앉아서 타고 가요."

"어느 별로 갈 거야?"

"우주. 우주로."

어제 늦게 자서 아침 내내 짜증을 내던 그녀는 결국 내게 혼이 났다. 오늘은 그녀의 공주 치마를 세탁해야 하기 때문에 튤립이 그려진 피스타치오 색 원피스를 입혔다. 하얀 타이즈와 고민하다가 초록 꽃무늬 양말을 신겼다. 다행히 그녀는 썩 마음에 드는지 웃으며 빙글빙글 돌았다.

"엄마, 안아줘요!"

아침에 혼낸 게 미안하게도, 그녀는 내 얼굴 여기저기 뽀뽀를 해주었다. 아직 아기라 입과 볼의 높이가 같아서, 그녀의 쪼그만 입술이 닿을 때면 말랑한 볼도 같이 닿아서 행복하다. 아기 때처럼 배 위로 올라와서 기대길래, 한참을 둥그런 뒤통수, 둥그런 등, 엉덩이를 쓸어내리며 토닥토닥해 주었다. 어린이집에 보내고 나면 마치 몸 한쪽을 떼어낸 것처럼 마음이 헛헛하다.

이렇게 함께하는 시간들이 나에게는 무엇보다 소중하다. 그녀가 자라서도 이 순간들을 기억할 수 있기를, 그리고 내 사랑이 그녀에게 따뜻한 추억으로 남기를 바란다.

> 그녀는 독립된 하나의 개체이고 자아를 가진 사람이며 나의 소유물이 아니다.
>
> 그녀는 독립된 하나의 개체이고 자아를 가진 사람이며 나의 소유물이 아니다.
>
> 그녀는 독립된 하나의 개체이고 자아를 가진 사람이며 나의 소유물이 아니다.

나는 그래서 '그녀'라고 부른다.

26. 그녀와 눈과 나

무시무시한 두 살에서 미운 3세로

문진표를 이제 세 번째 작성한다. 1년에 한 번 영유아 검진을 하기 때문이다. 체크리스트를 보다가 '아이가 본인의 성별을 자각하고 있는가?'라는 항목에서 머리를 얻어맞은 듯했다. 나는 그녀에게 "너는 여자아이야"라고 알려준 적이 없다는 것을 깨달았다. 열 번쯤 설명하니 그제야 뜻도 모르고 자신이 '여자아이'라는 걸 알게 되었다.

1월은 내내 그녀의 생일이었다. 셋째 주 주말에는 하루 종일 나비를 그렸고, 현관에 붙였다. 일요일에는 밥을 먹기 싫다고 컵에 뱉다가 걸려서 내게 혼이 났다. 그리고는 감기약을 먹인 나를 악당처럼 노려보며 할머니에게 떠났다.

어린이집이 끝나고 눈이 정말 엄청나게 퍼부었다. 나는 그녀를 데리러 가는 길에 우산을 썼지만 소용이 없었다. 둘이서 눈싸움을 조금 하다가 그녀가 집에 들어갈 생각이 없어서, 결국 그녀에게 나도 눈을 왕창 뿌렸더니 그녀가 나를 또 악당 보듯 노려보았다. "내일은 눈사람을 만들기로 해" 약속을 하고 말았다. 손을 마주 잡았는데, 그녀의 손도 내 손도 털장갑이라 그 사이로 눈이 들어가서 손을 잡는 것이 더 시렸다. 그렇지만 그녀도 나도 손을 놓지는 않았다.

오늘도 눈이 어마어마하게 내렸다. 다행히 오후에 그쳤다. 우리는 집 앞에서 눈사람을 만들었다. 그녀는 코와 얼굴이 빨개지도록 집에 들어가지 않았다. 나는 여러 번 "집에 들어가지 않을래?" 하며 들어가고 싶은 티를 팍팍 냈다. 하지만 그녀의 고집은 말릴 수 없었다.

장갑이 젖었다. 젖은 장갑에 손이 시리니 그녀는 내가 잠시 눈사람을 다듬는 사이 벗어버렸다. 맨손으로 눈을 만지니 추웠겠지. 그녀는 집에 들어가자고 했다.

오늘도 이렇게 하루가 지나갔다. 눈싸움을 하며 즐거워하고, 눈사람을 만들며 함께한 시간들이 쌓여간다. 그녀와 함께한 순간들이 소중하게 느껴진다.

28. 그녀와 아빠토끼

비가 너무 많이 와서 일찌감치 아가를 데리고 시어머니가 사주신 내장까지 낭낭한 떡볶이와 순대를 품에 안고 기분 좋게 집에 들어왔다. 비가 너무 들이쳐서 우산은 거의 아가한테만 씌워주었기에 나는 쭉 젖었지만, 상관없다. 내 손엔 떡볶이와 순대가 있으니까.

씻고 나와서 아가와 놀려고 했더니, 그녀는 할아버지 집으로 가겠다고 한다. "고마워. 사랑해." 뽀뽀를 해주고 현관문을 열어주면 알아서 올라간다. 나는 칼로 포장지를 뜯고 순대를 떡볶이에 찍어 한입 먹으려는 순간, 전화가 울렸다. 어린이집이었다. 아가는 집에 있는데 무슨 일인가 싶어 헐레벌떡 전화를 받았다.

"어머니, 아가가 '아빠토끼'를 두고 갔어요."

애착 인형을 낮잠 자고 이불에 두고 그대로 개켰다는 것이다. 저 토끼가 없으면 잠을 못 자는데, 순간 짜증이 치밀었다. "네 알겠습니다. 바로 가겠습니다." 전화를 끊고 나니 정신이 번쩍 들었다. 아니, 나 지금 왜 짜증 낸 거지? 내가 가지러 가는 게 당연한 건데, 미쳤네.

안드로이드 SKT는 전화가 녹음된다. 두어 번쯤 다시 들어봤는데 다행히 짜증 난 게 티가 안 났다. 하지만 양심의 가책이란 게 얼마나 무거운지. 선생님도 두 아이의 어머니다. 음료수를 사러 편의점에 들르려다 시계를 보니 선생님도 정리하시고 집에 가셔야 할 시각이라 내일 등원길에 사서 보내기로 하고 일단 얼른 뛰었다.

벨을 누르고 토끼 데리러 왔다는 말에 선생님이 웃었다. 멋쩍어하며 "저희 아가 챙기는 것도 힘드신데 인형까지 챙겨 주셔서 감사하고 번거롭게 해드려 죄송하다"고 90도로 인사하고 나왔다. 선생님은 "뭘 그런 거 가지고 그러시냐"며 어리둥절해하셨지만, 그냥 내 마음 편하자고 사과를 하며 돌아서서 나왔다.

어린이집과 우리 집 사이 아파트 단지에 조경수로 심어둔 썰프레아가 흔들렸다. 엄청 튼튼한 나무인데 흔들리는구나. 아아, 나의 가치관 같았다. 이런 비바람에 흔들리다니. 조심해야겠구나.

혹여라도 아가한테 짜증 낼까 봐 진정하고 할 말을 골라서 시댁에 올라갔다. 아빠토끼를 아가 손에 쥐여주면서, "아가, 이거 봐 봐. 어린이집에 두고 왔지? 어린이집에 가져갈 때는 네가 보호자야. 보호자는 엄마, 아빠, 할머니, 할아버지 같은 거야. 이해 안 되어도 괜찮아. 될 때까지 설명해 줄게."

"자 봐 봐. 아빠토끼를 꾹 쥐어. 집에서는 괜찮지만 밖에서는 잘 데리고 다녀야 해. 아빠토끼를 또 사줄 수는 있지만 그건 아빠토끼와 똑같이 생긴 토끼야. 아빠토끼가 아냐."

조금 단호하게 말하자 혼내는 줄 알고 살짝 울음을 보이길래 안아주고 엉덩이를 쭈물쭈물하면서 "혼내는 게 아냐. 엄마가 오늘 살짝... 음, '추하다'는 단어는 다음에 알려 줄게, 여하튼 그랬어. 결론은 아빠토끼를 잘 챙기자. 앞으로 엄마가 어린이집 갈 때마다 알려 줄게. 하원할 때는 엄마도 잘 챙기도록 노력할게."

내려와서 떡볶이와 순대를 먹는데 다 식었지만 맛있었다. 먹으면서 끄적끄적... 자유시간은 행복하다. 선생님께 짜증 내지 말자. 반성.

가끔 새벽 3시면 이유 없이 눈이 떠지곤 한다. 오늘도 그랬다. 그러면 나는 물 한 잔을 마시고 탁자 위에 있는 책 중 구미가 당기는 걸 집어서 조금 읽다가 자거나, 요즘은 스레드를 훑어보곤 했다. 오늘은 아가가 자다 깨서 내가 없는 걸 발견하고는 방에서 나와 소파에서 책을 보다가 잠든 나의 명치에 디립다 머리를 쿵 하고 박았다. 칭얼거리는 아이를 달래고 거실에서 두어 시간쯤 같이 엉덩이를 토닥거리며 자다가 둘 다 땀범벅이 되었다. 팔베개해 준 오른팔은 그대로 두고 왼팔을 아가의 오금 아래로 넣어 번쩍 들어서 방으로 옮기는데, 언제 이만큼 무거워졌나 싶다.

앞으로 너를 키울 때마다 생기는 내 고뇌와 욕심만큼 더 무거워지겠지. 새벽에 내가 없다고 찾으러 나온 널 사랑스럽게 쳐다보며.

30. 그녀와 신학기 준비

아침에 일어난 그녀에게 물었다. "뭐가 하고 싶어?" 그녀는 안아달라고 했다. 우리는 늦게까지 뒹굴뒹굴 굴러다녔다. 그녀를 위해 알바를 쉬었는데, 내가 더 힐링하는 기분이었다. 나에게 조금 더 너그럽게 오늘을 보냈다.

어제는 임자와 함께 '아이를 3살까지 무사히 키웠다'는 마음으로 소주를 네 병이나 마셨다. 해장하느라 아침밥도 든든히 먹었고, 커피는 일부러 안 마셨다. 오후에 그녀와 놀아주려면 카페인을 늦게 끌어올려야 할 것 같았다. 낮잠 자기 전까지 집에서 둘이 신나게 뒹굴거리고 쉬었다. 덕분에 그녀는 개미코골이로 낮잠을 잤다.

개미코골이는 충남에 와서 처음 들은 말이다. 쪽잠자는 사람들을 일컫는 말인데, 출처는 모른다. 그냥 귀여워서 나도 개미코골이라 부른다. 낮잠 자기 전 그녀에게 또 물었다. 이제 말이 되니까 이게 되네, 하는 생각을 하며. "낮잠 자고 일어나면 뭘 하고 싶어요?"

"팝콘 먹고 싶어요."

그녀의 어린이집에서는 가끔 이벤트성으로 영화관 분위기를 내며 선생님들이 팝콘을 준비하고 영화를 보여준다. 아이들이 매우 좋아한다. 그녀도 좋아한다. "응, 일어나면 팝콘을 사러 가자." 그런데 개미코골이를 끝낸 그녀는 나를 버리고 할머니네로 떠났다.

할머니와 몇 시간 노는 그녀를 기다리며 설거지를 하고 빨래를 돌리고 집안 일을 했다. 2년 전 집에만 있을 때 지긋지긋했던 일들이 편하게 느껴졌다. 사람 마음이 이렇게 간사하다. 쉬고 싶었지만, 내가 갖고 싶고 하고 싶은 것들을 위해서 파트타임이라도 해야 한다. 그녀에게 자주 하는 말이다. 인간으로 태어났으니 사회생활을 해야 한다. 거울을 보며 마음속으로 해주었다.

내려오지 않는 그녀를 데리러 시댁으로 갔다. 나는 현관에서 악마처럼 그녀를 살살 꼬셨다. "우리 아까 뭘 약속했더라?" 그녀의 눈이 반짝거렸다. 그녀는 조금 '불여시' 과다. 우리 집엔 불여시가 없는데.

"오-? 모였디?" 그녀는 검지손가락으로 볼을 콕 찌르며 모른 체를 했다.

"팝콘 사러 가기로 한 아기 누구지?" 그녀가 손을 번쩍 들었다. 그녀는 맨발로 현관까지 쫓아 나왔다. 영화를 같이 보면 좋을 텐데, 그녀와 볼만한 영화가 없어서 아쉬웠다. 영화관에 가는 길에 그녀는 이상한 리듬에 맞춰서 팝콘 노래를 불렀다. 음치인 내가 따라 부르자 그녀가 "하디마아-!" 그래서 나는 "그래, 너 혼자 실컷 불러라" 하고 생각했다.

작은 팝콘을 샀다. 기본 맛으로 샀는데 세상 야박한 사이즈에 놀랐지만, 그녀의 손에 있으니 딱 맞아서 너무 귀여웠다. 그녀는 집에 가서 팝콘을 먹겠다고 했다. "아니, 누구 마음대로. 너는 좀 더 달리고 놀아야 해." 나는 또 그녀를 꼬셨다. "오늘 봐봐. 날이 따뜻한데 놀이터 가는 거 어때?" 그녀는 고민하더니 마지못해 끄덕여놓고는 놀이터에서 망아지처럼 놀았다.

그녀와 키가 비슷한 친구라서 처음엔 친구인 줄 알고 같이 뛰어놀게 놔두었던 아이는 그녀에 비해 말을 너무 잘했다. 나는 바로 그가 그녀보다 나이가 많다는 걸 눈치채고는 "친구는 몇 살이에요?" 하고 물었다. 그는 여섯 살이었다. 그녀보다 세 살이나 많다니! 실례를.

"친구가 아니라 오빠네, 엄마가 잘못 알려줬어. 오빠라고 해야 해." 그녀는 "친구가 아니라 오빠."라는 말을 반복하며 그를 쫓아다녔다. 그의 가족은 멀리서 처음엔 조금 불안하게 안절부절 지켜보다가 이내 내가 그녀와 그를 쫓아다니는 걸 보고 조금 쉬었다. 아마 나와 그녀가 오기 전까지 그들은 그의 어마어마한 체력에 맞춰 놀았을 거다. 내 주머니에 굴러다니는 전날 빼놓지 않은 버즈가 신경 쓰였지만 전력으로 달려도 그가 비슷한 속도로 뛰었을 거다. 그 정도로 여섯 살 아이는 빨랐다.

그녀와 그는 신나게 놀았다. 그리고 그녀가 못 올라가거나 도와달라고 할 때마다 친절히 쫓아와서 도와주는 그를 보고, 그의 가족은 같이 웃지 않으려고 나도 이를 꽉 깨물고 그가 그녀에게 친절하게 하는 모습을 지켜보았다. 즐겁고 고마워서 인사를 했다. "우리 그녀와 놀아주어 고마워요." 그는 먼저 집으로 가야 했는데, 너무 아쉬워했다. 그는 저 멀리 가다가 다시 되돌아와서는 "안녕-!"

하고 인사하고 떠났다. 3살과 6살의 귀여운 이야기.

그녀는 뛰어서 팝콘의 헛배가 꺼졌는지 다시 벤치에 앉아서 나와 그 작은 팝콘을 나누어 먹었다. 그리고 팝콘을 보며 내게 말했다. "팝콘, 모양이 보글보글해." 나는 웃었다. "거품 같아? 음, 생각해 보니 안에서 부풀어서 만들어진 거고, 거품도 부풀어 오르는 거니 비슷한 게 맞는구나. 대단해." 나는 팝콘 모양이 '보글보글하다'를 여러 번 되새겼다.

해가 저물어가서 집으로 들어와 그녀에게 약속한 바나나우유를 챙겨주었다.

31. 그녀와 차멀미

내일은 멀리 가는 날이다. 그녀는 차멀미를 심하게 한다. 나를 닮았다. 그래서 항상 미안하다. 물려줄 게 없어서 이런 거나 물려주다니. 아직까지 차멀미를 한다. 다 큰 성인인데도 멀미란 고통스럽다. 조그맣고 작은 네가 토하면 안쓰러워서 어쩔 줄을 모르겠다. 그래서 멀리 잘 안 데리고 가는데, 내일은 가야 한다.

토닥토닥 재워주니 그녀가 말했다.

"자장자장 해줘."

자장자장 우리 아가, 우리 아가 잘도 잔다. 원래 가사는 다르지만 '야옹야옹'이라고 한다. 야옹야옹 울지 마라, 우리 아가 자다 깬다. 자장자장. 토닥토닥하다 보면 팔이 아프다. 그녀가 가물가물할 때쯤 팔을 멈추는데, 그러면 그녀는 설핏 짜증을 부리며 눈을 떠서 말한다.

"자장자장, 야오야오."

귀여워서 웃으며 다시 자장자장을 해준다. 내일 잘 부탁해요, 우리 아가. 내일은 멀리 가는 날이라서, 그녀가 차멀미를 하지 않고 편안하게 갈 수 있기를 바란다. 부디 무사히 다녀올 수 있기를.

비몽사몽 한 그녀를 데리고 차에 태웠다. 고속도로를 지나는데 가야 할 곳이 멀고, 시골이라 그녀가 볼 게 없어서 또 미안했다. "밖을 봐. 산이야." 그녀는 산을 보고도 감탄을 해주었다.

"아빠토끼랑, 산을 보고 있어."

그녀는 아빠토끼와 자신이 산을 같이 본다는 사실이 조금 기뻐 보였다. 다행이었다.

"아빠토끼랑 산을 보고 있어. 우리 다 같이."

몇 번을 반복했는지 모르지만, 그녀가 그걸로 멀미를 잠시라도 잊어서 좋았다. 그건 뭐, 잠시간의 내 착각이었고, 그녀는 결국 토했다. 미안했다.

그녀는 휴게소 바닥에서 2천 원을 주웠다. 그걸로 곰 젤리를 샀다. 목적지 근처 식당에서 모르는 테이블의 할머니가 그녀가 너무 예쁘다며 만 원을 주셨다. 당황했지만, 그녀의 일행분이 사정을 이야기하며 너무 기분 좋은 날이시니 받아달라 했다. 사정을 듣고는 받지 않을 수가 없었다. 자녀분께서 10년 만에 임신을 했다고. 축하드린다고 전했다. 기쁘게 만 원을 받아 들고는 맞은편의 임산부로 보이는 분께 축하드린다고 하자 활짝 웃었다. 행복해 보였다.

목적지는 사실 친정 아버지의 추모 공원이었다. 그녀에게는 외할아버지가 있는 곳이다. 굽이굽이 높은 산을 차를 타고 올라가다가 또 그녀가 토를 했다.

미안해. 멀미를 할 걸 알고도 데려올 수밖에 없었다. 살아 계실 때는 못 보여드렸는데, 안 보여드리면 안 될 것 같은 이상한 마음의 짐이 있었다. 코로나 때 태어난 아이들 여럿이 그랬을 것 같다. 그녀도 그중 하나였을 뿐이라고 나 자신을 위로해 본다.

집으로 돌아오는 길, 곰 젤리를 잘근잘근 씹어먹는 그녀를 보고 조카가 물었다. 곰 젤리는 안 아플까? 그녀는 눈을 동그랗게 뜨고 순간 고민하다가

"곰 젤리가 띠용띠용해."

엉뚱한 이야기로 위기를 모면했다. 조카는 그녀에게 "너는 귀여워서 어디 가서 굶을 일은 없겠다고 했다." 나는 조카에게 "너는 말을 너무 잘해서 굶을 일이 없겠어." 둘이 손잡고 다니라고 했다.

조카는 커서 그녀에게 맛있는 걸 많이 사주겠다고 약속했다.

나는 이렇게 기록을 남긴다.

32. 그녀와 단어일기

빼빼로

단어 일기를 쓰기 위해서 단어라는 뜻을 알려줘야 한다. 요즘 그게 제일 힘들다. "말의 최소 단위야." 최소와 단위와 말도 알려 줄게. 그러니까... 에... 보글보글? 아니 그건 부사인데... 부사? 에. 에? 에는 추임새인데... 추임새는 그러니까...

저녁이 되어서야 그녀는 단어 하나를 골랐다.

"빼빼로"

"왜 빼빼로야?"

"오늘 빼빼로를 못 먹었어."

아하, 응. 첫 단어 일기는 성공이었다. 내일은 그녀에게 빼빼로를 사줘야지.

그녀의 어린이집 근처에는 공용쉼터가 있는데, 책을 갖다 놓는 경우가 있다. 나는 쉼터의 책장에서 어린이용 미술사 책을 꺼내서 한 페이지씩 읽고 가곤 한다. 요즘 일과다. 그저께는 레오나르도 다빈치가 해부학을 공부했다는 이야기를 읽었다. 어제는 미켈란젤로가 예술을 아내로, 대리석을 자식으로 삼았다는 이야기를 읽었다. 오늘은 농부 빰치는 밀레를 읽었다.

뭐라고 해야 하지? 농부보다 논밭을 더 좋아하는 사람. 그래. 그 표현이 더 어울릴 것 같다. 생각해 보면 농부보다는 논밭을 좋아할 수밖에 없다는 생각이 들었다. 농부들은 업이고 그는 그걸 바라보는 입장이니까.

그녀와 놀다가 바람이 차가워져서 빼빼로를 사서 집으로 돌아왔다.

"오늘 단어는 뭘로 할 거야?"

"단어? 단어."

윽. 어제 이해시킨 줄 알았는데 그녀는 아직 단어를 모르는구나. "그럼 오늘 가장 좋아하는 게 뭐야?" 그녀는 딸기라고 했다. 내일은 딸기를 사야겠다.

33. 그녀와 그녀의 언어

그녀는 활동을 좋아한다. 활동시간에는 영어선생님, 율동선생님 등 여러 외부강사분들이 오셔서 그녀와 놀아준다. 그녀는 몸을 움직이는 시간을 좋아하는데, 열심히 하다 보니 선생님들도 그녀를 예뻐한다. 며칠 전에 어린이집에서 그녀를 데리고 나올 때였다. 활동 선생님 중 곰돌이 선생님이라고 불리는 분이 지나가다가 그녀에게 인사를 했다. 나는 꾸벅 고개를 숙이며 감사인사를 했고, 그녀는 곰돌이 선생님에게 우체부 선생님이라고 했다. 내 귀에는 그렇게 들렸다.

"우체부 선생님 좋아요?"

"아냐."

"우체부 선생님 싫어요?"

"아냐. 체부 선생님이야-!"

그녀는 화가 났다. 이해할 수 없었다. 오는 내내 체부선생님을 찾았다. 나는 불현듯 내가 그녀의 말을 잘못 알아들었다는 것을 깨달았다. 체부선생님이라 불러야 하는 거야? 아니이. 엄마가 못 알아들어서 미안한데 한 글자씩 또박또박 말해줄 수 있겠어?

"체. 규!"

아.

"체육선생님!"

내가 그녀의 말을 알아듣자 그녀는 자리에서 폴짝폴짝 뛰며 좋아했다. 요즘은 그녀의 말을 내가 제대로 이해하지 못하면 그녀가 토라지기 때문에 정확히 짚고 넘어가야 한다.

주말에는 종종 시부모님과 그녀가 마당에서 비눗방울 놀이를 하고 있었다. 나는 임자 자동차의 대시보드에 넣어둔 시집을 꺼내러 집에서 내려갔다. 비눗방울 놀이하고 있었어요? 묻자 그녀는 비눗방울 끝나면 사랑해요 아이스크림을 사러 간다고 했다.

사랑해요 아이스크림. 나는 또 그녀가 무언가를 잘못 발음한 건 줄 알고 사랑해요... 사랑해요 아이스크림은 대체 뭐야? 하고 고민하고 있었다.

시부모님은 나를 보고 재밌다는 듯 웃으셨다.

"부라보콘이야. 그게 포장지에 하트가 그려져서 사랑해요 아이스크림이래."

그녀의 언어는 어렵지만 따뜻하다. 나는 그녀에게 정체 모를 무언가를 오늘도 건네받았다. 사랑해요 아이스크림. 하트. 사랑.

2024

봄

1월

엽편소설은 뚝딱 써내려가면서도 어린이집 아가들 선물 사이에 작은 편지를 쓰려니 첫 글자가 떨어지질 않는다. 화자를 그녀의 시선으로 할까?

「안녕, 나는 호정이야. 너의 생일을 축하해. 우리 엄마는 아직 모든 것이 어색한 사람이야. 내가 처음이자 마지막일 거래. 무슨 의미인지는 차차 알려주실 거라 했어. 나도 세상이 늘 새롭고 어색해. 같은 반이 되어서 기쁘고 반가운데 생일이라니 더 기쁘다. 엄마는 하고 싶은 게 많으시다고 하셨어. 내가 어린이집 가 있는 동안 아르바이트를 하셔. 그래서 외부 활동에서는 보기 어려울 거야. 대신 편지를 써주셨어. 엄마도 네가 생일이라 기쁘다고 하셨어. 우리가 같이 지내는 한 해가 어여쁘고 아름다웠으면 좋겠다.」

이 정도로 썼다. 편지가 과하지 않으면 좋겠다. 퇴근 후에 색색깔 양말들을 교차해서 포장해야지. 여름 짧은 양말도 담아주고. 양말들은 전부 내 손가락만하다. 귀여운 것들의 생일.

편지를 읽고 작은 기쁨을 느끼길 바라며, 아이들의 환한 웃음을 상상한다. 작은 편지가 전하는 따뜻함이 아이들의 마음에 닿기를 바란다.

2월

아이는 나의 배를 잡고 장난을 쳤다. 뱃살이야. 엄마는 뚱뚱해서 있어. 그녀는 내 배에 손을 올리고 엄마배꼽이 내 배꼽. 이런 말을 했다. 어디서 주워들은 거고, 누가 알려준 건지도 모른다. 맞아. 연결되어 있었어. 지금은 끊어진 거고. 다시 아이는 배에 손을 가져다 대더니

"여기는 내 자리야."

"응. 네가 있던 자리." 나는 너무 신기했다. 기억나? 여기 있었어. 했더니 끄덕끄덕. 기억해 줘서 고마워.

언젠가 남편이 일하는데 피곤할까 봐 1시간마다 깨는 갓난쟁이를 거실에서 배 위에 올려두고 잔적이 있다. 나를 걱정해서 아이를 떼어냈는데 그때 아이와 나 둘 다 생살로 붙어있던 샴쌍둥이가 떨어지듯 비명을 질렀다. 아마 그때 그건 짐승에 가까운 본능적인 분노였던 것 같다. 아이를 내놓으라 소리 질렀다. 배려해 주려던 남편은 당황했다.

미안한 마음은 아침에야 들었고 당시에는 아이를 다시 달래서 소파에서 잠이 들었다. 내 생각에도 그때 아이를 달라고 했을 때 내 모습이 악귀 같았을 것 같다.

3월

아가는 나랑은 안 가고 할머니랑만 가게가 몇 군데 있다. 그녀만의 규칙이다. 어제 나랑 너무 잘 놀아서 기분이 내켰는지 내게 말했다.

"무지개 아이스크림 사주세요."

대체 무지개 아이스크림이 무어야? 그녀가 이끄는 대로 따라갔다. 도넛 가게인데 구슬 아이스크림을 팔았다. 당연히 레인보우를 골랐는데 어린 점원분이 안절부절 머뭇거리다가 정말 눈을 질끈 감고 말했다.

"코튼...코튼 캔디...이 아가는 코튼캔디를 무지개라고 해요."

레인보우는 셔서 못 먹더라고 그런 세세한 거까지 알려주셨다. 점원분 덕분에 오늘 오후에 감사하고 기뻤다.

요즘 친구들 참 귀엽다.

4월

원래 사진전을 보러 가려다가 문득 아이가 좋아하려나 하는 생각이 들었다. 기차 타는 것에 성공하면 전철 타고 리움으로 가야겠다. 필립파레노의 물고기 풍선을 좋아할 거야. 바로 예매를 했다.

아이는 무료인 것이 참 많구나, KTX는 3,500원이었고 무궁화 새마을은 무료였다. 전시도 무료였다. 나는 이런 걸 찾아볼 생각을 못했네. 그냥 나 하나만 힘들면 애 데리고 어디든 가면 되겠다 싶었다.

기차를 탔는데 뒤늦게 탄 할아버지께서 본인 자리라고 하셨다. 제가 표를 확인해려도 될까요? 저는 세 번 확인하고 앉아서요. 아니나 다를까 바로 뒷자리셨다. 미안한 마음이신지 좌석 틈새로 아이랑 놀아주셨다. 왼쪽에 앉으신 할머니도.

KTX 책자에 적힌 글자들을 읽어주다가 아이가 지루하고 더워서 짜증을 내기 시작했다. 결국 폰을 쥐여주었다.

내리기 전에 아이는 할머니 할아버지들한테 인사를 했다. 나도 감사 인사를 했다. 즐거운 여행의 시작이었다.

우리는 기차에서 내렸다. 사과 요구르트로 내 탄산수와 건배를 했다. 아이가 좋아하지만 잘 탈일 없는 에스컬레이터를 오늘 하루종일 탔다.

그녀는 무빙워크가 '고장 난 에스컬레이터라' 라고 했다.

"이거 고장이야. 고쳐야 돼."

아니야.

"고장이야."

아니야. 이건 무빙워크고 자 하나 둘. 하나둘. 걷는 거야. 이렇게. 오리새끼를 이끄는 어미처럼 부리로 밀 듯 엉덩이를 투닥투닥 대며 걷게 했다. 좋아. 좋아. 어디로 가는 건지 여러 번 물었다. 불안해 보였다. 물고기풍선을 보여줄게. 난 그걸 보고 정말 네가 많이 생각났어.

리움 가는 길 라일락이 만개해서 향기가 좋았다. 안아달라고 해서 들어 올려 향기를 맡게 했다. 아기띠 가져올걸. 리움은 참 언덕에 지었다. 다리 아프다고 해서 안아 들고 갔다.

입장해서 물고기 풍선들을 보자마자 난리가 났다. 지난번엔 만지게 해주었는데 이번엔 안 된다고 했다. 아쉬웠지만 그녀가 만지고 싶어도 참는 것이 기특해서 칭찬을 가득해주었다.

휠체어 탄 사람들은 리움을 어떻게 오는 거지? 전시를 다 보고 지친 아이를 안아 들고 리움에서 내려가면서 생각이 들었다. 노인들은? 안 오나? 애초에

지하철 역에 에스컬레이터가 없었다.

엘리베이터 안내라고 적힌 부분은 있었지만 문구가 아니었다. 나는 지쳐서 그걸 읽을 틈도 없이 계단으로 지하철로 내려갔다. 계단. 계단. 아이를 안아 들고 지친 몸뚱이로 보니 보이는 세상이었다.

내가 4시에서 6시 사이 뜬금없는 시간에 출몰해서인 건지 서울에는 아이를 데리고 지하철을 안 타는 건지 모르겠는데 아이와 나를 다들 신기하게 바라보았다.

그리고 오늘 받은 친절은 헤아릴 수 없었다. 임산부, 할머니, 군인, 외국인, 가릴 것 없이 아이만 보면 벌떡 일어나서 자리를 양보했다. 그때마다 저 굉장히 튼튼해요! 이래 봬도 운동도 해요! 하고 말씀드렸지만 한사코 다들 자리를 내주었다. 임산부는 특히

“안 앉으시면 저 내려버릴 거예요!”

라는 협박을 하셔서 그분도 나도 웃을 수밖에 없었다.

집에 오는 길. 아이가 KTX 통로에 게워냈다. 오늘 지쳤구나. 세상에. 내가 너무 미안해. 사람들이 탑승하느라 밀고 들어와서 일단 비켜드리고 지나가는

분들마다 사과했다. 죄송합니다. 금방 치우겠습니다.

다 들어간 줄 알았는데 건너오던 승객이 있었다는 걸 몰랐다. 중학생정도 되어 보이는 아이 어머니였고, 먼저 들어간 학생이 통로문을 열고 내게 버럭 했다.

"사람 지나다니는 통로잖아요. 이렇게 막고 계시면 안 되죠!"

순간 울컥했다. 하지만 토사물로 인해 사람들이 불쾌한 상황이고, 통로를 막은 게 맞다. 사과부터 했다. 죄송합니다. 지나가시는 줄 몰랐어요. 물티슈로 닦는데 아이가 옆에서 말했다.

"토해서 미안해..."

너무 놀라서 여러 차례 말했다. 엄마가 잘못한 거야. 처음 데리고 왔는데 너무 무리했어. 좌석이 통로와 가까워서 다행이었다. 자리로 가는 길 아이가 사람들과 눈만 마주쳐도

"토했어요. 미안해."

라는 말을 해서 울컥했다. 쉿. 쉿. 엄마가 잘못한 거야.

아이는 오늘 자기가 사는 지역의 이름을 알게 되었다. 방송에서 지역명이 나오고 이제 우린 내릴 거라고 말하자 지역명을 여러 번 중얼거렸다. 아이는 오

늘 본인이 사는 곳의 공기냄새를 알게 되었다. 고향냄새야. 집이야. 도착했어. 내리자마자 피로와 구토로 누렇던 얼굴이 정말 밝아졌다.

아이에게 오늘 본 건 전시라는 거라고 여러 번 말해줬다. 물고기풍선에 그려져 있던 색깔을 여러 번 읊었다. 물고기풍선을 할머니와 할아버지와 보러 가고 싶다고 했다.

전시일정을 엄마가 다시 알아볼게. 이번엔 아기띠를 꼭 챙길 거야. 그리고 너를 어린이집에서 조금 더 이르게 납치하면 더 수월하겠다. 나는 더 치밀하게 아이를 데리고 놀러 다닐 수 있을 것 같다. 아이는 저녁을 맛있게 먹었고 지금도 물고기 풍선에 꽂혔다. 매우 큰 성공이다.

우리, 평범하게 살아가자.

더도 말고 덜도 말고.

그게 제일 힘든 거래.

2021~2024 의 봄

그녀와 나.

호정이와 정원이.

사랑하고 사랑하는 내 작은 악마.